THE TAMA STUDY

多摩学への試み

多摩地域研究

総監修　寺島実郎
共編著　中庭光彦
著者　　中庭光彦
　　　　松本祐一
　　　　荻野博司

多摩大学出版会

序言　「多摩学」への思い

多摩大学学長　寺島 実郎

　「多摩」とは単なる地名ではなく、思想でもある。これが多摩大学を基点として、研究者・学生を巻き込んで、「多摩学」をテーマにフィールドワークと文献研究を積み上げてきた理由である。多摩には、この地域が歴史過程で構築してきたDNAが埋め込まれており、これがこの地の「志」となっているように思う。

　私が多摩大学学長に就任した2009年4月以来、大学院生から学部の学生までが参画できる社会工学研究会（インターゼミ）を立ち上げ、続けてきたが、この間、研究テーマの一つの柱が「多摩学」であった。多様な角度からの「多摩」の研究が積み上がり、今回の出版にこぎつけたことを喜びたい。私自身の問題意識を集約した論稿が、岩波書店の雑誌「世界」（2014年8月号）に寄稿した「多摩の地域史が世界史につながる瞬間」であり、地域史を深く掘り下げると、世界史のうねりとつながることを学生達に理解・共有してもらうための作品であり、後掲の論稿を一読してもらいたい。

　戦後日本においては、東京のベッドタウンとして首都東京の発展を支える住宅地としての性格を強くした多摩であるが、江戸期は徳川幕府の直轄地・天領であり、この地の治安維持装置でもあった「八王子千人同心」が幕末期に果たした役割は重い。また、明治期以降、何故に多摩が自由民権運動の震源となったのか、さらに、敗戦後、「多摩自由大学」など戦後民主主義を支える市民運動がこの地で盛り上がったのか、知的な刺激を受ける史実が多摩には溢れている。

　多摩大学としては、キャンパスのある多摩市や藤沢市などの自治体、さらには多摩信用金庫など地元企業との連携・協力を通じて、地域の役

に立つ大学でありたいと考えている。今年、2024年は創立35周年を迎えるが、インターゼミ多摩学班の研究・提案を受け止めて、多摩大学を地域防災拠点とする構想を一歩ずつ実現していきたい。地域の災害耐久力を高めるため、「電力、水、食料、避難所」などを提供できる防災拠点としての能力を高めていこうというもので、実学志向の大学として、一歩踏み出したいと思っている。

脳力のレッスン　　寺島 実郎

多摩の地域史が世界史につながる瞬間
―17世紀オランダからの視界（その23）

『世界』（岩波書店　2014年8月号）

　2009年から東京の西、多摩市に本拠を置く多摩大学の学長を引き受けている。力を入れていることの一つに「多摩学」がある。教職員・学生が力を合わせこの地域の歴史や埋め込まれたDNAを掘り下げており、地域性を探究することが実は日本全体、そして世界と繋がっていくことを検証している。所謂「グローカリティ」を確認するアプローチである。羽田空港辺りに流れ出る多摩川と茅ヶ崎海岸に流れ出る相模川に挟まれた地域を広義の「多摩」として我々は研究を深めているが、歴史的に多摩とは多摩川の流域を意味してきた。江戸期には武蔵国21郡の一つの多摩郡を指し、明治期には北多摩、西多摩、南多摩の3郡とやがて東京都に編入されてなくなる東多摩を加えた4郡を「多摩」といった。三多摩が神奈川県に編入されたのは1871年（明治4年）であった。

八王子千人同心と朝鮮通信使、そして蝦夷地入植

　1582年（天正10年）、甲斐武田氏が滅亡（3月）し、織田信長が本能寺の変で死ぬ（6月）と甲斐は徳川家康の支配下に入った。家康は武田家臣団を自らの家臣団に組み入れ、1590年の関東入国（秀吉による関東への移封）に際し、武田家臣団の親衛隊に属する小人頭衆を武蔵国の警備と江戸防衛を担う在郷武士団として八王子に移した。これが1600年頃には1組百人で、10組千人の「八王子千人同心」を形成したのである。

千人同心については、村上直編『江戸幕府千人同心史料』（文献出版、1982 年）『八王子千人同心史料』（雄山閣出版、1975 年）、八王子市教育委員会『八王子千人同心関係資料集』など史料性の高い研究が存在する。半士半農の千人同心は所謂「郷士」として精強であった。その伝統的武術は長柄の槍術であったが、江戸後期には剣術を中心とする総合武術の天然理心流が浸透した。これは近藤内蔵助が寛永年間に創始した、新撰組の近藤勇や土方歳三の流派で、千人同心の一族からも井上源三郎、中島登の二人が新撰組に参加している。なぜ多摩の調布から近藤、日野から土方が、そして八王子の千人同心が京に向かったのであろうか。それが多摩という土地を理解する鍵であり、幕府の直轄地・旗本領であった多摩の若者は幕藩体制の動揺と動乱の血の騒ぎを感じ、政争の中心地たる京へと引き寄せられていったのであろう。

　話を巻き戻して 17 世紀つまり江戸時代初期、八王子千人同心は志操堅固さ故に次第に評価を高め、1652 年以降は神君家康を祀った日光東照宮の警衛役（日光火消役）を拝命していた。1617 年に家康の霊柩を駿河の久能山から日光に移す行列に供奉して以来、将軍秀忠・家光の参詣に幾度となく供奉するなど日光との縁は深かった。日光に配置されていた千人同心が朝鮮通信使の日光参拝の警護を担ったという事実がある。多摩の地域史が国際交流史に繋がる瞬間である。

　朝鮮通信使については既に触れたごとく（本連載 22）、江戸期に 12 回李王朝の使節一行が日本を訪れ、そのうち 3 回（1636、43、55 年）日光東照宮を参拝した。幕府にとっては外国使節を迎えることで「権威づけ」の意図があり、朝鮮王朝としては朝鮮出兵した豊臣を滅ぼした徳川への敬意を込めた参詣との背景もあった。使節一行には「朱塗りの神橋を渡る将軍並みの国賓待遇」が与えられたと記録されている。

　さらに 1800 年（寛政 12 年）、同心頭・原半左衛門が千人同心の次・三男 100 名を率い蝦夷地に向かった。半左衛門は原家の十代目で初代は甲斐武田家目付役、三代は秀忠傘下で関ヶ原・大坂冬の陣・夏の陣にも

従軍した家系であった。ロシア接近への緊迫感を背景に幕府は「警護と耕作」を担う部隊の派遣を思い立ち、半士半農の千人同心に白羽の矢が立った。1792 年のラックスマン根室来航と 1804 年のレザノフ長崎来航の間の時期で、松前藩などへの出動要請だけではロシアを抑えきれないという幕府の不安が「屯田兵」の先行モデルともいうべき千人同心の蝦夷地入植・駐屯となった。

　彼らが入植したのは勇払（現在の苫小牧）と釧路近くの白糠であった。実はこの白糠こそ私が小学二年生までの三年を過ごした土地で、不思議な縁を感じる。私は父が石炭会社勤務のため北海道沼田町の炭坑で生まれ、父の転勤により白糠の庶路地区に移った。千人同心の白糠入植関連の史料には「庶路」という地名が入植地東端の分駐所を置いた場所として登場する。記憶の中の白糠は恐ろしいほどの太平洋の大波が押し寄せ濃霧に閉ざされることも多い自然環境の厳しい所であった。それ故に短い夏の輝きと秋の美しさの中で庶路川を遡上するシシャモを釣ったり、砂浜から遥か太平洋を見渡すのが好きであった。それにしても 200 年以上前この酷寒の地に多摩からの入植者がいたという感慨は深い。彼らは先住民アイヌとも交流を深めていたようだ。ロシアの接近という歴史のうねりは多摩と北海道の数奇な出会いを触発したのである。

　勇払に入植したのは半左衛門の弟の新助が率いる 50 名であった。1799 年に東蝦夷地の直轄を決めた幕府は、ここに地域を統括する役所（勇払会所）を配置し、千人同心の配置もこれを支える目的もあった。そのため勇払会所の記録には幕府の役人たる小人目付の高橋治太夫、医師の月輪安斉などの名が見える。ラックスマン来航の衝撃がいかに強かったかであり、伊能忠敬が蝦夷地南東部沿岸の測量を命じられたのもこの頃で、忠敬は蝦夷地で半左衛門、新助らに会っている。

　ところが、1804 年（文化元年）2 月に幕府は蝦夷経営の縮小方針を決定、わずか 4 年足らずで千人同心の開拓事業も取り止めとなり、半左衛門は箱館奉行の調役、新助は有珠牧場取締に転ずるなど、幕府の無定見

な方針変更に運命を翻弄され続け、半左衛門は 1809 年には八王子で千人頭に復帰する。レザノフ率いるロシア艦船が長崎に現れたのは、幕府が方針転換した 7 か月後の 1804 年 9 月であった。

明治維新とそれ以降の多摩——自由民権運動への伏線

　幕末から明治にかけて八王子千人同心、そして多摩が辿った過酷な歴史は凄まじい。正に歴史の激流に飲み込まれていくのである。1865 年、第二次長州征伐に当たり、千人頭窪田喜八郎はじめ銃砲隊 300 人と長槍隊 100 人が動員され、将軍家茂に同行して東海道を南下、大坂に着陣し広島から激戦の小倉口に派遣された。幕府の正規の歩兵隊を派遣できない兵員不足を補うための出兵で、劣悪な環境に置かれて多くの病死者を出し、消耗の果てに一年半後に帰郷している。

　1867 年の大政奉還後、翌年 3 月には討幕の東征軍参謀の土佐藩板垣退助らが八王子に進駐、千人同心は恭順の誓詞血判を差し出すが、徳川に心を寄せて徹底抗戦を主張する者も多く 200 名もが江戸で「彰義隊」に加わり、結局千人同心は同年 6 月に解散。解散時の数は 894 人で大多数は土着派として脱士着農の道を歩み中には朝臣派として神奈川県兵になる者もいたが、徳川に随従して駿府に移る少数派もいた。

　結局、八王子千人同心とは何だったのか。兵農分離を基本に成立した江戸期日本において、幕府直轄の郷士集団としてある時は武士のように利用されある時は農民として身分制の枠に押し込められ、複雑な心理を内包した集団として存在し続けた。このことが多摩という地域を際立たせたともいえる。明治 5 年戸籍法が公布され土着派の帰農千人同心は平民籍とされたが、その心理は複雑で、「復籍復禄請求」という形で「士族」として認められるよう求めた裁判が大正期まで続いた。

　初代神奈川県令は海援隊士でもあった若き陸奥宗光で、開明派であり理不尽な弾圧がなされたわけではないが、幕府の直轄地であった多摩の

人々には、薩長土肥の藩閥が新しい支配層として登場してきたことにわだかまりと不満が存在していた。この潜在する不屈の「何くそ魂」が多摩という地域に「自由民権運動」を開花させる要素となったことに気付く。

　自由民権運動は、1874年（明治7年）征韓論に敗れて下野した4人の前参議板垣退助、江藤新平、後藤象二郎、副島種臣らが民選議会設立の建白をして愛国公党を結成したことで動き始めた。いわば明治新政権の内紛の延長でもあり、運動の主体は不平士族であった。当初は「士族民権」というべき性格の運動で主張も不明確であったが、次第に地方豪農、都市知識人、豪商層主導の運動へと性格を変えていった。

　一般的に自由民権運動は「人民の自由権、参政権の獲得を目指し、国会開設、地租軽減、対等な条約改正の実現を要求した日本最初の民主主義運動」と総括され、「明治23年に国会を開設するという勅諭」を引き出した1881年頃を頂点とし、実際に帝国議会が開設されて明治憲法体制が確立する1889年（明治22年）頃までの国民運動といえる。

　民権派結社の統合という形で自由党が設立されたのが1881年、総裁は板垣退助であった。板垣が語ったのが「神奈川は自由の砦」という言葉である。そして自由党員名簿によれば、神奈川でも特に三多摩に党員が集中しており、148人が入党している。自由民権運動と千人同心の関係は微妙で、千人同心系の人物が多摩の自由党の中核を形成したとは言えないようだ。それでも土方健乃助、日野義順（南多摩）や「五日市憲法」という民権型の憲法草案作成に尽力した深沢権八（西多摩）、そして板谷元右衛門（北多摩）など、千人同心の家系者が自由民権運動に参画している。多摩の自由民権運動については色川大吉編『三多摩自由民権史料集』（大和書房、1979年）など多くの文献研究により解明が進んできた。これらの運動がどこまで深く「民主主義思想」を共有していたかについては疑問が残る。1879年には植木枝盛の『民権自由論』が出版され、市民的自由の確立、そのための国会開設、憲法制定、地方自治の重

要性、そして民衆の抵抗権、革命権までが主張されていた。また同年、中江兆民がフランスより帰国し、番町に仏学塾を開きここを拠点に活動を始め、1882 年にはルソーの『民約訳解』を出版し民権運動の思想的骨格を提起した。だが、総体的に見て多摩に限らず自由民権運動には明治新政権への反発・抵抗という意図が絡み合い、「士族民権」「豪農民権」的な限界が内包されていた。明治政府が「天皇制絶対主義」体制を固め富国強兵で自信をつけ近隣との緊張を高める過程で、国民意識は国家主義へ引き寄せられていく。明治 20 年代、憲法発布と帝国議会開設の前後から自由民権運動は曲折・迷走、多摩でも「三多摩壮士」といわれる屈折した存在が登場した。村野常右衛門、森久保作蔵など「民権を主張して壮士を自認する愛国者集団」、時に院外団的政治装置として騒擾を引き起こす集団が「自由」と染め抜いた羽織を着て闊歩する事態が生じている。民主主義がいつのまにかナショナリズムに変質する土壌、日本人の精神風土はこの 130 年間、あまり変わっていないようだ。

　再考するならば、多摩の本質を示すキーワードは「周辺性」「境界性」ではないだろうか。江戸に近接し江戸を支えながら江戸そのものではない。八王子千人同心も武士なのか百姓なのか、常にアイデンティティへの葛藤を潜在させている。都合よく徳川体制に利用されながら、なお正当な認知と評価を求め苦闘する姿こそ多摩を象徴する姿に思える。そして、歴史を突き動かすエネルギー源は周辺と境界にプールされる。龍馬も「郷士」、新撰組の近藤・土方も「剣を学び武士の志を抱く百姓」であり、千人同心と同じくその苦闘の中から時代は軋み始める。今や東京のベッドタウンと化した多摩であるが、自由民権運動、そして戦後の「多摩自由大学」的動き、新党ブームへの呼応が生まれる土壌が埋め込まれている。

目 次

第1部　多摩地域の時代認識

第2部　多摩学の実践

第 1 部
多摩地域の時代認識

時代認識のための
多摩学

中庭 光彦

多摩を調べることで広がる視野

　新撰組の土方歳三は、幕末時代劇のスターになっている。彼が現在の日野市に生まれたことは有名で、日野や高幡不動に行くと、土方グッズも売られている。この新撰組人気は実は意外と新しい。東京日日新聞記者から小説家に転じた子母沢寛（1882-1968）が、法制史家で明治文化研究者でもあった尾佐竹猛（おさたけたけき、1880-1946）の支援で幕臣への聞き取りを行い、小説家として新撰組三部作を世に出す時から始まる。それを司馬遼太郎や池波正太郎が引用し、人物造形することで爆発的な人気を博すようになる。

　口述史料をもとに解釈を行い、想像力を働かせ描いた『新撰組始末記』は 1928 年（昭和 3）に出版された。新撰組資料としても参照されるこの著が発行された昭和 3 年は、戊辰戦争から 60 年後に当たる年だった。彰義隊くずれの武士を祖父にもつ子母沢は、藩閥政府ではなく、幕府側の抵抗者として新撰組を描こうとした。農民から士分に上がり、武士倫理を守る描かれた人物像が、戦後、司馬遼太郎達により、サラリーマン組織人のリーダーとして再解釈され人気を博すのも皮肉な話ではある。

　子母沢も司馬も、できうる限りの資料にあたり、実証史料に拠ろうとしており、その上に物語を構築している。但し、叙述により伝えようとする価値観が異なるのである。これを現在の言葉で言えば、歴史実践が異なるということになるのだろう。

　私たちが現在認識している歴史は、実証史料に拠りつつも、歴史叙述時の問題意識に突き動かされて、実践的に構築された記憶であると言っ

ても、間違いとは言い切れない。そのような行為は、現代のものの見方や課題解決の選択肢を想像する際の示唆を与える。これが、過去を考えることで現在を考える「時代認識」の意義と言える。

さて、その土方歳三は、他国で自らの出身地をどのように名乗ったのだろう。想像するに「拙者、武州多摩郡日野石田村で生まれた土方歳三と申す」といったところだろうか。この時の「多摩郡」は、現在の多摩地域ではない。

武蔵国は天領や旗本領が多い中で、各地の大名領が点在していた場所であった。天領では、行政は少人数の代官の下、豪農の名主等が代行しており、大名領のように家臣の武士が自らの領地を支配していたのとは支配のかたちが異なっている。天領では、豪農層や豪商層と代官の距離が近く、武士への身分上昇欲求も高かったのではないかと思われる。土方も日野の豪農の五男坊であった。

この多摩郡は、後に三多摩と呼ばれる地域に加え、現在の杉並区や世田谷区の一部、相模原市の一部も含んでいる。幕末から明治政府への移行期、三多摩（西多摩郡、南多摩郡、北多摩郡）は、新設の韮山県に含まれ、後に神奈川県に含まれることとなる。

図1は1883年（明治16）につくられた神奈川県の地図である。神奈川県が武蔵国と相模国に分けられていることがわかる。現在でも、武州・相州と記されることがある。

1878年（明治11）の郡区町村編制法により、現在の多摩地域に北多摩郡、南多摩郡、西多摩郡という行政区画が生まれ、それは神奈川県に含まれた。三多摩の原イメージは1978年（明治11）に誕生したこととなる。この三多摩が後の1893年（明治26）に東京府に移管されることとなる。

本書を記している2023年（令和5）は、多摩地域東京府移管から130年目となる。

私たちが捉えようとする多摩地域の誕生は、ほぼ明治初期と重なって

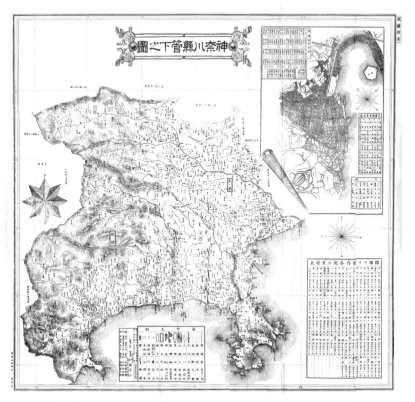

図1　神奈川県管下之図（明治16）（『神奈川県史資料編11』付録）

いる。とはいえ、幕末期そのような範囲認識は存在していなかった。

　多摩地域の動きを把握しようとすると、神奈川県、特に横浜や、旧東京市、後の川崎や京浜工業地帯、これらの変化とのつながりに視野を広げざるをえなくなる。本書で取りあげようとする多摩は、現在の多摩地域を中心としながらも、広がった視野に入る、広域圏における多摩地域の役割の変化や、日本の大きな政治・産業・社会変動と多摩地域の人々の関係である。

したがって、多摩地域を分野別に細分化して調べれば、自ずと多摩地域全体の特徴がわかるという見方を本書は取っていない。むしろ重点を置いたのは、多摩地域に焦点を定めることで否応なく視野に入ってくる、より全体的な知識を描くことである。この作業を行うことにより、私たちが常識としている時代認識が、ある時期に生成されたもので、古来より当たり前だったとは言い切れないことがわかってくる。この時代認識の相対化作用は、全国各地の地域史に人々が向き合った時に、多くの方が体験するもので、多摩地域の特許というべきものでもない。しかし、多摩地域の歴史を検討し始めると、いつの間にか「国家や首都を中心としてしまう時代・空間認識」が、当たり前には見えなくなってくるのは、やはり東京特別区に隣接した多摩地域の立地特性によるものだろう。

　この立場を進めると、地域史の視点からこれまでの常識を相対化することは、現在や将来の社会の課題解決に臨む時に、自らが立つ足下のルールに新たな解釈を構築することにつながる。課題解決に向けて、地域の歴史を実証的に認識し、かつ、そこから解釈できるルールの違いを想像する―この実証と、実証の根拠となる認識ルールの想像の両者が時代認識の鍵なのである。このような「想像力」は、多文化の存在を尊重しようという多文化主義を前提にしていることも忘れてはならない[1]。

---

[1]　イギリス生まれの日本経済史・思想史研究者のテッサ・モーリス＝スズキは、2002 年に書かれた『批判的想像力のために』の中で、現在日本が経験しているのは想像力の危機という意味における民主主義の危機で「ある特定のイデオロギーに対抗する、説得的オルタナティヴを想像し、かつ伝達するという能力の欠如によって、その特定のイデオロギーは、ほとんど気付かないうちに、圧倒的で息苦しい怪物として浸透していった。（中略）この特定のイデオロギーによる息苦しい空間は、『道徳的に空虚な地球規模でのネオリベラリズム』であり、『道徳のスローガンで粉飾された大衆先導的ナショナリズム』であるという、外見上は矛盾しつつも、じつは相互に寄生しあう因子が絡んで形成されたものだ。」（平凡社版、p.46）と、的確な指摘を行っている。2002 年の「想像力の危機」は、2023 年現在でも、色あせていない。

多摩大学の「多摩学」──時代認識のための多摩学

　多摩大学が「多摩学」に取り組み始めたのは 2009 年（平成 21）である。新たに学長に就任した寺島実郎は、かねてよりアジアダイナミズムの時代認識の重要性を唱えていたが、それを支えるのがグローカルな視点であった。

　グローカルな視点とは、多文化主義のネットワークとして、社会現象を認識しようという意味ととってもよい。但し、学生にはわかりやすく「足下の地域を理解し、グローバルに世界を理解する」という説明を行った。そして、2009 年（平成 21）度より学長によるゼミナール「インターゼミ」が始まり、その中でグローバリズムを担当とする「アジアダイナミズム班」と共に、多文化の独自性を掘り起こす「多摩学班」が設けられ、多摩学班の 1 年目を松本祐一准教授他、2 年目の 2010 年度より2013 年度までを筆者他、2014 年度以降を荻野博司教授他とリレーし、現在も多摩学班は続いている。

　学部授業でも、「多摩学」が始まり、当初、江戸時代までを近世史研究者の大森映子教授、近現代を、地域政策・開発政策史研究者の筆者が担当した。後に若い研究者に受け継がれ、長島剛、野坂美穂、高橋恭寛、加藤みずき、内藤旭恵、樋笠尭士による『多摩学──経営情報学から見た「多摩圏」』が 2022 年（令和 4）に多摩大出版会から刊行された。また、学内研究者が参加する研究会も始まり、この成果は 2011 年度の学内紀要「多摩学特集」に掲載され、さらには「大いなる多摩学会」設立に至った。

　こうした多摩大学の多摩学は、他大学で展開された多摩学（東京経済

大学、帝京大学等）とはアプローチ方法が異なっている。それは、実証資料による歴史認識を手堅く行った上で、そこから引き出された意味を課題解決のための枠組の想像力に活かしていったことと言ってよいだろう。つまり、歴史の実証的理解と、現代の課題における歴史実践の二本柱からなる「時代認識」の場が多摩学なのである。

　地域学というと、ある地域の特徴や変動を多分野から分析するエリアスタディの方法が採られることが多い。これは、地域の客観的認識のために非常に重要である。しかし、それだけでは、「過去の結果が現在である」という考察で止まってしまうことも免れない。大事なことは、その考察を踏まえて、将来の問題解決に役立てることにある。問題解決のために、過去を解釈し、そこから教訓と不確実な未来への羅針盤を自ら構築しなくてはならない。

　過去、現在、未来へと人々は集合的な意思決定を行っていく。前の決定が次の選択肢を用意することになり、結果として多様な歴史的な経路が生まれていく。それは、大きな言葉で語られる「発展」と呼ばれるものではない。むしろ、多様な出来事が意図せずつながり不確実性を生む、ポストモダン状況と表現した方がよい。その中で、現代人は、意思決定に利用できる「実用的な過去」を編んでいく生存戦略も必要としている[2]。

---

[2]　メタヒストリアンのヘイドン・ホワイトは、実用的過去という概念をマイケル・オークショットから由来しているとし「わたしたち全員が日常的のなかでもっているような過去についての観念、しかも、わたしたちが自分たちの現在の『状況』と見なす場のどこにおいても出会うあらゆる実践的な問題—個人的な事情から大きな政治的問題に至るまで—を解決するのに必要な情報、考え方、モデル、戦略として、時には行き当たりばったりに、時には最善のものとして、わたしたちが利用するような過去についての観念を指している。この実用的な過去とは、記憶や夢、欲望からなる過去であると同時に、個人・集団双方に関わる問題解決や、生存戦略・戦術の過去でもある。」と述べる。そして、オークショットが、実用的な過去と歴史的過去を対比し、歴史的過去を歴史家にとっての理論的動機によって構築された過去であって、未来を予見したりするガイドラインも一切提供してくれないと述べている（ホワイト・2017、pp.12-13）。

その戦略として、「歴史を考える」のではなく、「歴史で考える」のが、多摩大学で教える課題解決のための歴史実践である[3]。誤解無きように言えば、ここで養うべきことは、現象を客観的に認識し叙述する実証史家の手法と同時に、現象を検討することで視野に入れざるをえなくなる文脈・枠組の「謙虚な想像力」である。

　多文化主義を前提にすれば、客観的な認識にも、いくつかの解釈を想像しえる。それらを比較し、過去と現在のつながりを光に照らし、自由な討論の中で現在の時代認識を確かなものにした方がよい。こうした、課題解決に向けて客観的認識と実用的な過去を将来への構想に向けて編む作業を行う場、それが、多摩大学インターゼミの多摩学班であった。

　2009年（平成21）から2013年（平成25）までは「謙虚な想像力」を底に置きながらも、多摩の歴史の実証的理解に力を注いだ。2014年（平成26）以降は、むしろ現在の多摩地域の課題を正面に据えた解決提案に力点を置いているが、時代認識の歴史実践という点では前半・後半ともに共通している。

　このため、本書は全体で二部構成とした。一部は多摩地域で多くの人が共有している多摩の歴史を、現在の問題、即ち「人口減少局面における郊外問題の今後」を念頭に置きつつ、幕末から高度成長期までを一種の地域開発史とその背後にある多文化史として描いてみた。これらは、実際にインターゼミ多摩学班で扱ったテーマをベースにしたもので、そこからさらに想像力を広げて多摩地域からわかる問題領域の広がり、そして、これまであまり注目されてこなかった実用的な過去に光を当ててみた。

---

[3] 歴史家で日本文化研究者でもあるキャロル・グラックは、「私にとって歴史することの意味は、過去をつかって未来のために考えることだと要約できる。」と述べる（2007, p.12）。これを道具主義と呼び批判する実証主義史学の立場の人もいると思うが、本書の立場は、批判的想像力を養うために歴史解釈を豊かにすることにあり、キャロル・グラックの言葉に近い。

第二部では、現在の多摩地域に目を据え、学生や教員がどのような認識と提案を行ったのかをドキュメンタリー風に振り返った。

この両者を読めば、「多摩地域の客観的な歴史認識と課題解決のための想像力を学生と共に養う」多摩大学の多摩学が、より明確になるはずだ。

第**3**節

時代に応じて異なる地域学

多摩大学の多摩学から筆を始めてしまったが、本論に入る前に、これまで多摩地域について語られてきた厚い研究蓄積について触れなければならない。

江戸東京学、京都学、大阪学、新潟学、渋谷学、新宿学、東北学……規模の大小を問わず、全国各地に、その土地の名前を記した地域学が存在する。歴史、民俗、社会、産業経済、文化……様々な切り口から、地域の物語を構築するのが定番と言える。

これら地域学には、歴史、民俗、自然科学等の分野のどこかに重点を置く点で、いくつかの流れがあるが、立ち上げられた時期により特徴に相違がある。それは、1990年代後半以降、「現在・いま」と「課題解決志向」が強く意識されるようになったことだ。

例えば、民俗学者の赤坂憲雄は自ら主唱して立ち上げた「東北学」について次のように説明している。

「東北とは何か。それは南／北の種族＝文化があい交わる境の市場（フィールド）である（中略）それはしかし、いまだ、どこにも存在しな

い、いや発見されていない未知なる東北である。」[4]

　東・西日本と、東北・北海道の二つの文化が出会う、今まで認識したことの無い東北像を解釈しようとしているのが、東北学なのだが、これが唱えられた 1996 年（平成 8）、すなわちバブルが終わり、政治経済がグローバル化に対応せざるをえなかった時点での将来の可能性と、東北という条件不利地域と見做されてきた地域を再解釈し、ポスト近代化における東北の意味を構築する取組となっている。

　1990 年代以降の東北という文脈で、「いま」「何を」示せるか。この「将来の資源として現在・過去を捉える」姿勢は、他の多くの地域学に多かれ少なかれ見出される特徴と言える。地域学は、地域の過去を考えるだけではなく、地域で将来を考えるコンテクストを提供しようとしている姿勢が色濃くにじみ出ている。

　1980 年代初頭より現在も続く「江戸東京学」となると、色合いが異なってくる。都市論が隆盛を極めた時期に発した江戸東京学が視野に入れる範囲は「江戸東京」であって、それは旧東京市の中心部に重点が置かれている。そこは江戸時代、幕府が江戸の範囲内と定めた朱引地の範囲でもある。そして近世の江戸と、ナショナルな首都としての東京を歴史的に一体化して扱っている点に、大きな特徴がある。したがって、この枠組においては、多摩地域の存在感は極めて小さくなる。1987 年（昭和 62）に編まれた『江戸東京学事典』は、当時の江戸東京という人為的なコンセプトについての記憶を、将来の都市開発への期待を文脈に、都市論として編み直したものと言えるが、そこの項目索引を見ると多摩や郊外の歴史は極めて少ない。多摩ニュータウン、自由民権運動は掲載されているが、八王子千人同心や中島飛行機、三多摩壮士といった本書で取りあげる項目はまだ掲載されていない。

---

[4] 赤坂（2009）p.274

こうした東京特別区、すなわち首都を意識した江戸東京学は、江戸発祥の歴史・風俗史、盛り場研究に加え、1990年代以降は、江戸時代の人々の生活が環境負荷の低いエコロジカルな生活であったという意味付けを重ねていく。エコロジカル都市としての江戸東京コンセプトである。

　例えば、まだ人口増加が問題であった1970年頃から人口減少問題に警鐘を鳴らしていた歴史人口学者の鬼頭宏は、『環境先進国江戸─江戸』（2002）で、江戸のような都市の人口稠密地の平均寿命が低かったという「都市の人口蟻地獄説」を紹介する一方で、人口に合った環境資源の使い方がなされていた都市として、江戸を人口と環境史の視点から紹介している。環境史の視点から江戸を描く視点の斬新さや、鬼頭自身が1970年代から人口減少問題に警鐘を鳴らしていたこともあり、このような言説は未だに流通している。

　人口減少社会にあっての、エコロジカルな都市としての東京コンセプトは、1980年代の江戸東京学を担った田中優子、陣内秀信たちにより、2017年（平成29）から法政大学江戸東京研究センターで、現代の開発コンセプトとしての江戸東京学にバージョンアップされていく。

　江戸東京学が中心に据える「中心地としての東京」には、常に新たな意味が重ねられ、書き換えられていく。

　都市史の観点から見ると、この新陳代謝の早さには東京の特徴が表れているようにも思える。一般的に、世界の大都市を見渡すと、最初に開発された地区が都市の中心部となるが、そこは海岸・河川の港湾部であることが多い。そして、時代と共に、中心部が老朽化し治安が悪化しスラム化し、地価は下がり、低所得者居住地域となる。さらに時代が下ると、今度はそこを再開発し、旧来の住民が地価上昇に追い立てられて郊外に移住する（ジェントリフィケーション）。この都市の盛衰からジェントリフィケーションをはさみ、また成長が始まるという都市開発サイクルが多く見られるものなのだが、20世紀以降の東京に限ると、中心部は関東大震災、空襲、高度成長、2002年以降の規制緩和による都市再生

と、スクラップ・アンド・ビルドが間断無く進み、中心部の空洞化・スラム化・ジェントリフィケーションが起きる間が無かった。そして、現在はデジタル化に対応した都市再開発が進められている。こうした休みなきスピードの都市開発は、実は世界的にも珍しい。江戸東京学はそのような、空間的な東京一極集中の連続的な力を感じさせるものでもある。

　それに比べると、「周縁地多摩」（辺境でもない）は、東京特別区の外側にある中心地に隣接した郊外である。幕末から明治初期は、南多摩・北多摩・西多摩、それぞれの文化景観を持ちつつも生糸・織物工業で栄え横浜との流通路は文化の先進地であった。それが、自由民権運動期以降、東京との関係が重視されるようになり、大正から昭和期以降は多摩と京浜の結びつきが強まっていく。それは多摩地域の広域化とも言えるし、東京郊外化とも言える。意味する所は同じである。

　点景を辿ってみよう。多摩地域における多摩学の来歴を省みる時、多数の郷土史家・地元の社会改良家の存在はたいへんに大きい。八王子を簡単に記すだけでも、現在までの流れが想像できる。大正時代の八王子市には四つの青年運動グループがあったことを多摩考古学研究会世話人だった椚国男が『多摩のあゆみ41』の中で語っている。それによると第一は薫心会という組織を中心として社会教育を志した八王子グループ、第二は橋本義夫が中心となった楢原・中野グループで、橋本は後に市内で「揺籃社」という書店を開き、地域文化研究会を組織していく。第三は「大菩薩峠」を書いた作家・中里介山の影響下にあった浅川グループで、中里が開いた「隣人学園」（敬天、愛人、克己を目標にした）で行われた講話や読書会に集った人々。第四は菱山栄一や松井翠次郎が中心に農村生活改善を願った恩方グループである[5]。

　楢原・中野グループの中心人物とされた橋本義夫（1902-1985）は、八王子千人同心の家系で、父が政友会の三多摩壮士であった。橋本は戦後の一時期に多摩自由大学にも関わり、中央から著名な知識人による講演会を開いている。また橋本達が中心に立った、日々の生活を書くこと

で残す「ふだん記運動」は、2023年（令和5）現在も八王子だけではなく全国の拠点で受け継がれている。橋本が開店した揺籃社という書店（後には活動のセンターとなった）は、1985年（昭和60）に橋本が亡くなった後も「ふだん記運動」の中心として続いている。

　多摩の民権史研究者として全国的に知られることになる歴史家色川大吉（1925-2021）が、自らの著書『ある昭和史』で一章を割き、「『現代の常民性』、そのみごとな祖型は田中正造にあったと私は思う。田中正造の中に明治型の一つの理想像として完成されていたと思う。橋本義夫のタイプは、その伝統の大正デモクラシー期を通過した一バリエーションに過ぎない。」と、称し、橋本の活動を丁寧に紹介している[6]。

　おそらく、色川が高く評価したのは、橋本の呼びかけにより始まった「多摩文化研究会」とその発行物である『多摩文化』だったのではないか。1959年（昭和34）に橋本義夫、松岡喬一、清水成夫、沼謙吉が、八王子の地元信用組合「振興信用組合」の専務だった鈴木龍二邸に招かれ、旗揚げの編集会議が開かれた[7]。

　色川が困民党研究の先覚者として教えを請うのが橋本だった。『多摩文化　第9号　特集三多摩自由民権運動史』では、色川が巻頭に「三多摩自由民権運動史」を寄稿している。色川はこうした地域文化運動を評価し、さらに「ふだん記運動」を「庶民の民衆自身によるまったく新しい表現運動を指導した。それは民衆の新しい自立をめざした、思想運動ともいえる。」と高く評価した[8]。

　その色川も、自立する民衆を目指しつつ、これまで取り扱われてこな

---

[5] 椚（1985）p.122。この記述については、1980年代に中心周縁理論を提起した文化人類学者山口昌男が『「敗者」の精神史』で取りあげ、八王子青年の文化運動の特徴について分析している。
[6] 色川（1978）p.263
[7] 沼（2008）に『多摩文化』と鈴木龍二、橋本義夫、色川大吉との活動の経緯について詳しく述べられている。
[8] 橋本（1978）p.179

かった農民層の自由民権運動や困民党運動の研究を続け、1964 年（昭和 39）に発行された『明治精神史』は多くの読者を獲得した。色川の著作は民衆史と呼ばれ、中央志向型の人間に対抗する意味で、社会の底辺で生きた常民的な人々の歴史を掘り起こし続けた。民衆の精神を「地下水」と称したこの語り方は、学生運動が活発だった時代の問いに合っていたのではないかと思う。その遺産は、現在にも残り、多摩の歴史を語る際に、自由民権運動は避けて通れぬテーマとなっている[9]。

　思想の水脈・地下水といった民衆思想の比喩を用いた色川民衆史学は、その後の多摩学を語る上で大きな影響力をもった。それだけに、「自立した民衆という目標」が色あせ、現実に合わなくなってきた時、こぼれ落ちた問題や放置された歴史が残されてしまった。

　また『多摩文化』は 1975 年（昭和 50）の 24 号まで発行された。現在、多摩地域の歴史文化を広く紹介するメディアとしては、1975 年（昭和 50）以降、たましん地域文化財団による『多摩のあゆみ』が発行され続け、多摩地域を調べる人々の発表の受け皿となり現在に至っている。

第**4**節

地方の時代の多摩地域問題

　「多摩学」という言葉を広めるきっかけとなったのが、東京経済大学グループでつくられた『多摩学のすすめ』（1991）である。30 年以上前の出版だが、多摩学というと、この書を避けて通ることはできないだろう。

　ここに、「なぜ地域学が大切か」という座談会が収められている[10]。参加者は、一橋大学で西洋中世史を専門とした社会経済史家の増田四郎

（1907 生）、元東京都職員で美濃部都政の環境問題のブレーンをつとめた柴田徳衛（1924 生）、当時東京新聞の地方部長であった小川達郎（1938 生）の三名である。

　この座談会には、青春時代を高度成長期以前にすごした三名の「地方」に込めた意味がよく示されている。

　まず、増田四郎は、「特定の地域を学問の対象として、さまざまな研究をする意義は。」と小川から問われ、次のように述べている。

　「十数年前、まだ『地方の時代』と言われる前のことでしたが、仲間と地域主義ということを考えました。英語の『リージョナリズム』をどう訳すかで議論したものです。私の考えでは、東京も一つの地域、多摩川流域も一つの地域、利根川流域もそうです。地域には行政の区分けと違ったものがあり、そういう観点からも、もっと地域のことを研究しなければならない。そういう意味での地域主義という言葉は、それまでなかったと思いますよ。」と、行政圏域との違いを意識する。そして国民の歴史とは異なり「いまは国民国家も国民経済も、相対化される過程をたどっているでしょう。国民経済は一国では成り立たなくなっており、あらためて国家とは何か、国民経済とは何かを考える時代になっています。民衆の生活にかかわりの深い、地域についても、具体的にその姿とあり方を研究しないといけない、と考えます。」と、国家も民衆の生活から見る視点の重要さを指摘する。さらに「社会集団のあり方、すなわち社会での暮らしのあり方を、先進国と後進国、あるいは文明国と未開地という区分けの仕方、物差しの使い方で区別するのはおかしいということです。パプアニューギニアの人であれ、エスキモーの人であれ、それぞれ生きがいを感じて生きているのですよ。それらを公平な立場で見る

9　町田市の歴史史料館は「町田市立自由民権史料館」という名称で、自由民権運動研究の一つの拠点となっている。2023 年に色川大吉が他界した折に発刊された紀要の特集は「『色川民衆史』のなかの自由民権研究」で、色川の仕事の相対化を行っている。
10　東京経済大学多摩学研究会編（1991）pp.257-282

視点が弱い。」と国家単位での進歩の視点よりも民衆史の重視を語っている。

　これに対応して、柴田徳衛は、当時の知識人がよく用いていた「歴史の原風景論」を持ち出し、「それぞれの都市の『こころのふるさと』とも言える歴史を、どれだけ誇れるものとして持つかという点で、都市の風格が出てきます。その尺度で見ると、現在の都心部は最低です。」とし、そこから「多摩の原風景」に話が移る。

　小川達郎は「多摩の歴史的な根っこをどのように考えたらいいでしょうか」と問いかけ、増田は「どうも江戸、東京から離れた地域の方が、政治的な動向や世の中の動きに対して距離をおいて対応できたのではないかと思います。そうした地方に知識人、文化人が多くいたこともあります。」と現在にも通じる答えを発している。そして、最後に教育について「歴史の流れを奴隷制、封建制、資本主義といった区分けで考えるだけではダメなんですね。学説は総合する点では意味があるけれど、地理、地形、気候、地質などを無視しては、歴史は成り立たないはずです。地域の歴史を考えるとき、そういう具体的素材が大事です。自分の知恵をつくりあげる、麹の役割をするものが根本にあります。この土地にどういう生活があったかを知り、どんな考えが成り立つのかを見出す。そういうことができる眼を持つようにならないと、知恵としての地域史をもてません。そういう目を育てるのが教育です。」と、エリアスタディとしては当然の一文を投げかけている[11]。

　『多摩学のすすめ』全3巻は、分野別縦割りに記述され、多摩地域全体を百科全書的に知るには便利で、多摩地域を全体として語っている点で魅力的だった。現に、それまで体系的な試みが無かったため、本書は多摩地域の資産となったと言っても言い過ぎでは無い。

　だが、ここで唱えられ、想定されていた読者は、多摩地域の自発的行動ができる市民である。地方の時代にあって、自発的な市民活動を行える人々で、民衆が活発な政治参加を行う場としての多摩地域という物語

であった。この流れは、1990年代後半から盛りあがったNPOや市民協働に一定の推進力を与えたとも言える。だからこそ、30年以上も前の前述の座談会は、現在の市民像と距離を感じさせてしまう点がある。かつての、将来に期待する若き市民が現在高齢者になり、彼等が抱いた理想の顛末を私たちが知ってしまったことも理由の一つだが、彼等が目指した多摩地域の市民像が、一方では多摩地域開発への参加表明であることをも意味していたからである。

　この『多摩学のすすめ』は、多摩地域東京府移管百年にあたる1993年（平成5）を意識してつくられた。この年、現在の昭島市出身の鈴木俊一東京都知事の下、多摩地域では「TAMAらいふ21」という多摩地域東京移管百年イベントを行った。東京都市町村から職員が出向し、様々なイベントが同時並行的に開催され、東京多摩地域の一体感が謳われた。各自治体から希望する職員が出向できるというユニークな取組であった。

　このようなイベントの前提には、1970年代-80年代によく使われた「三多摩格差」と呼ばれる記憶が、当時の人々にはまだ残っていた現実があった。バブル期を経て、多摩地域の住民も増え、開発格差は目にしなくなった。しかし、1970年代までは、東京特別区と多摩地域のインフラ開発水準が著しく異なるという三多摩格差は、都政でも重要な問題であった。そのような意味で三多摩という言葉が使われていたこともあったためか、『多摩学のすすめ』は、東京と多摩の間に暗黙の境界線を引き、多摩地域の独自性を抽出しようとしている。改訂版の位置づけである東京経済大学「21世紀の多摩学」研究会『新・多摩学のすすめ　〈郊外〉の再興』（2021）でも、問題は「郊外の将来をどうするか」という点で変化していないことが特徴と言える。

　この、東京による開発には一定の距離を置きたいが、多摩の地域開発の恩恵を受けたいという矛盾した問題設定に、市民はどう応えるべきか。

---

[11] 東京経済大学多摩学研究会（1991）pp.257-282

この30年間、いや団塊の世代の青年時代から含めれば50年あまりで、読者の問題意識は大きく変わった。いまを生きる私たちは、2008年（平成20）に日本でスマホが発売されて以降、社会の個人化、DX化が進む中で、団塊の世代が後期高齢者に入り、日本の人口は減少し高齢化も依然として進んでいる。東京一極集中も依然として続いているが、地方に比べれば多摩地域は東京一極集中のメリットも受けている。さらに、2011年（平成23）の東日本大震災も経験し、2020年（令和2）-2023年（令和5）のコロナ禍も体験した。

　歴史を解釈する文脈が変化してきている。

　このような不確実な将来を生き抜くために、どのような時代認識をもてばよいのか。その時代認識を、多摩の歴史からどのように引き出せばよいのだろうか。

　他にも多くの多摩学研究があるし、郷土史研究の数は膨大なものにのぼる。すべてを紹介することもできないが、多摩地域に関心のある人々は、同様の問題に直面していることであろう。多摩のように東京一極集中の恩恵も受けている首都圏の東京周縁地域で、拠るべき歴史が江戸東京史に収斂されやすい地では、将来の社会像の選択肢を想像する力を発揮する若手やよそ者に力になってもらわねばならない。

多摩で考える想像力

　現在多摩地域の第一の問題は、少子高齢化、特に急速な高齢化と言える。平均寿命・健康寿命共に長くなり、少子高齢化への対応方法そのものを考え直す必要があるし、人口増加期に開発した社会インフラをハード・ソフト両面で減少型に転換しなければならない。しかし、東京一極集中問題に対する危機感が東京中心部で弱いため、その周縁部の進み方は遅い。

　このような現在、多摩地域の歴史を描くことで、どのような示唆・想像を得ることができるだろうか。

　第二章では八王子千人同心の蝦夷地御用から地誌編纂への動きを描く。ここで、多摩地域の認識そのものの誕生、その背景に見えるロシアの進出、さらにロシアと松前藩、幕府の間でのアイヌとの関係という複雑な構造まで目配せしてみたい。

　第三章の三多摩壮士では、民衆史がとかく見落としがちな壮士ならびに、壮士の人生のその後の意味を問うことになる。自由民権運動華やかだった明治 10 年代後半、その中心は南多摩だった。しかし、その後、自由党から政友会への政治運動が組織化され、星亨から原敬へと政党活動が確立する中で、三多摩壮士は東京市での政治的影響力を増大させ、議員を経由しない政治参加のルートも一時は握った。また、三多摩壮士の中から後に実業界に入った者もおり、小田急電鉄、京王電鉄、京浜急行、横浜倉庫といった東京や横浜財界とのつながりは、政治的青年が新たな開発政策の中でアントレプレナー・ネットワークに転じていく。同時に田園都市コンセプトが鉄道会社のビジネスモデルに転じる様も扱う

ことになる。この民権運動と実業家の関係はこれまで重視されてこな
かった。また、1893年（明治26）には神奈川から東京府への三多摩編
入に反対した三多摩壮士が、1932年（昭和7）の大東京市（東京市15
区に、周辺の荏原郡、豊多摩郡、北豊島郡、南足立郡、南葛飾郡に区制
を施行し、計35区となった新東京市のことをいう）誕生時に、三多摩
を東京府から外す動きに、反対することになる。そして、東京都制が誕
生した1943年（昭和18）に三多摩は東京都に含まれ、その後の東京都
制の枠組が定まった。三多摩壮士を軸にすると、多摩地域と横浜、東京
市との関係を描くことにつながることが浮かび上がってくる。

　第四章の軍需産業地の形成では、多摩地域への航空機産業立地を軸に
描く。特に中島飛行機を検討するが、日本の航空機製造・工作機械製造
が欧米からの輸入やライセンス生産によっていたことや、大規模航空機
製造工場の立地が、戦後の住宅政策と工場立地政策の先駆けになったこ
とがわかってくる。そこでは、中小企業集積は生まず、多摩地域よりさ
らに軍需工業集積地帯となって拡大していた京浜工業地帯の形成と、住
宅地多摩地域との関係強化との棲み分けにつながったことを描く。

　第五章の戦後の多摩地域では、京浜工業地帯へのベッドタウン供給が
国土政策の一環として行われたことと、そうした住宅への入居者が地方
からの転入者であったこと、そして、家庭電気や車など三種の神器が普
及し、コールドチェーンも生まれ、流通、外食産業が生まれ、生活産業
の一大実験場となっていったことを描く。それは、最小限住宅とアメリ
カンライフスタイルの結合だった。さらに、車と歩行者を分離したニュー
タウンと、車・鉄道を取り込み相乗効果を生んだ郊外型ショッピングセン
ターの対比にも言及する。

　以上、これまでの多摩学があまり力を入れてこなかった切り口から、
時代認識のための多摩地域史を、多摩大学の共有知識として描くことと
する。

参考文献

赤坂憲雄　『東北学／忘れられた東北』講談社学術文庫、2009、原本は 1996

石居人也　「色川大吉の歴史叙述が問うたもの」『自由民権　町田市立自由民権資料館紀要 36』2023.3

色川大吉　『ある昭和史―自分史の試み』中央公論社、1978、原本は 1975

色川大吉　『明治精神史　上・下』講談社、1976

色川大吉　「三多摩自由民権運動史―運命の年・明治十七年」『多摩文化 9』多摩文化研究会、1961

小木新造、他編『江戸東京学事典』三省堂、2003、原本は 1987

鬼頭宏　　『環境先進国江戸』PHP 研究所、2002

椚国男　　「八王子における大正デモクラシー文化」『多摩のあゆみ 41』財団法人たましん地域文化
　　　　　財団、1985、pp.120-134

キャロル・グラック、梅崎透訳『歴史で考える』岩波書店、2007

テッサ・モーリス＝スズキ『批判的想像力のために―グローバル化時代の日本』平凡社、2013、
　　　　　原本は 2002

東京経済大学多摩学研究会編『多摩学のすすめ I』けやき出版、1991

東京経済大学「21 世紀の多摩学」研究会、尾崎寛直・李海訓編『新・多摩学のすすめ　〈郊外〉の再
　　　　　興』けやき出版、2021

沼謙吉　　「鈴木龍二と『多摩文化』の頃」『多摩のあゆみ 132』財団法人たましん地域文化財団、
　　　　　2008、pp.4-15

橋本鋼二　『万人に文を―橋本義夫のふだん記に至る道程』揺籃社、2017

橋本義夫　『だれもが書ける文章―「自分史」のすすめ』講談社、1978

ヘイドン・ホワイト、上村忠男監訳『実用的な過去』岩波書店、2017、原本は 2014

山口昌男　『「敗者」の精神史（下）』岩波現代文庫、2005、原本は 1995

八王子千人同心による蝦夷地開拓

2

中庭　光彦

八王子千人同心とは

　十年以上も前のこと、八王子駅からタクシーに乗ったことがある。当時、八王子千人同心のことを調べていたこともあって、ドライバーの方に、「千人同心という人々がいたそうですね」と雑談を始めた。すると、「私も、千人同心の末裔らしくてですね。年に一回程、子孫達が集まって日光に行くのですよ」と話されたのには驚いた。千人同心の子孫達のコミュニティが、今も生きていることを知ったのは、その時であった。おそらく「八王子千人同心旧交会」のメンバーの方であったのかもしれない。

　八王子千人同心は、八王子市、さらには江戸時代多摩地域天領を語る際に、欠かせぬ存在である。もとは甲州武田氏や後北条氏の遺臣を徳川家康が甲州街道の八王子、現在の西八王子駅にある千人町あたりに住まわせたのがはじまりと伝えられる。この組織をつくったのは土木や鉱山開発に長けていた大久保長安で、千人町の曹同宗寺院宗格院の裏手の浅川右岸に現在も残る「石見土手」という堤をつくり、八王子のまちの原型をつくった人物でもある[1]。

　千人同心の役目は、主には日光勤番と呼ばれるもので、東照宮を守る役目であった。そして、平時は八王子を中心とした四里四方の村々に土着して農耕に従事した。身分は武士で、槍奉行の支配に属していた。そして、千人町に屋敷を構えた十人の「千人頭」の下にそれぞれ属していた約百人の在村同心は、在村中は武士ではなく、村を支配している領主の統治を受ける農民として生計を営んでいた[2]。半武士・半農民（半士半農）の存在と言われる所以である。

在村範囲は意外と広く、宝暦年間（1751-1764）には、同心が在村しているのは 40 か村であり、10 か村は八王子宿内の村々、その他東は多摩郡境村（現・東京都武蔵野市）、西は津久井の青野原村（現・神奈川県相模原市緑区）、南は都築郡山田村（現・神奈川県横浜市都筑区）、北は多摩郡原小宮村（現・東京都あきる野市）となっている[3]。

半士半農とは、具体的にはどのようなものなのか。寛政期の資料には ①村内において苗字帯刀や、権威がましきことは決してしないこと ②御用で八王子へ出かける際には、村境から帯刀すべきこと ③田畑で帯刀してはならないこと ④村内で千人同心といって、御家人風俗をして権威がましい振る舞いをするならば、村内の百姓たちは祝儀・不祝儀も立ち会うことができなくなる ⑤何事についても、千人同心としての差別はしないこと、と千人同心の振る舞いについて、細かく振る舞いが決められていたようだ。江戸の中期まで農民と渾然一体となって生活していた同心達は、時代の経過と共に身分の主張が始まると村上（2003）は述べている[4]。

兵農未分離で半士半農の千人同心であるが、その特徴は「農民の立場で『千人同心御扶持米』を負担し、武士の立場でその米を受け取る」ことにある[5]。

この八王子千人同心が寛政期に、農兵として蝦夷地に出向くことを幕府に願い出て、1800 年（寛政 12）蝦夷地御用が実現することとなる。この時の行き先は蝦夷地の勇払（現・苫小牧市）、白糠（現・白糠町）で、共に東蝦夷地と呼ばれていた範囲の一部であった。

蝦夷地御用では多くの死者を出し、御用は 1 年で終え、千人同心は八

---

[1] 千人同心の一般的通説については、村上直氏の説に依っている。

[2] 馬場（1981）

[3] 村上（2003）p.29

[4] 村上（2003）pp.76-77

[5] 八王子市教育委員会（1992）p.342

王子に戻る。蝦夷地御用を申し出た原半左衛門胤敦も箱館奉行配下となった後、数年後に戻る。戻ってきた組頭の原胤敦は、今度は、これも幕命により、地誌編纂事業に手をつけ『新編武蔵国風土記稿』等をまとめる。当時、千人同心と江戸の知識人とのつながりは強く、幕末には松本斗機蔵（1795-1841）のような洋学者も出て、海防にも動員されることから、八王子は洋学の一拠点もなる。そのような背景もあり、千人同心は1855年（安政2）に幕府より西洋銃修行を命じられる。そして、1866年（慶応2）に千人同心は「千人隊」と改称し、幕府崩壊時の戊辰戦争時には、武装した八王子千人隊が征討軍に帰順することとなる。

　これが八王子千人同心の簡単な紹介である。

　本稿で焦点を当てるのは、千人同心の蝦夷地御用と、その後の地誌制作の関連である。なぜなら、この時期、幕府、ロシアやアイヌ、松前藩との接触の中で「境界」に関する意識が芽生え、範囲の地誌把握の重要性にいち早く気がついた一群が、八王子千人同心の一群だったのではないかと想像できるからである。「多摩地域」という範囲・空間認識を、ここから語ることは適当であろう。

第**2**節

八王子千人同心の異文化体験

　千人同心が蝦夷地御用に向かったのは1800年（寛政12）で、翌年の1801年（寛政13）に戻ってくる。リーダーは千人頭である原半左衛門胤敦。出発は3月20日、半左衛門の弟新介が43人を率い先発し、翌日半左衛門が57人を率いて出発したので、合計102名となる。到着地

は勇払、さらに半左衛門が 50 人を率い白糠に到着した。同年秋には 30 人が追加で勇払と白糠に向かった。

しかし、冬の寒さは厳しく病死者も出、1804 年（文化元）には、残留者が箱館 9 名、白糠 26 名、鵡川（勇払の東方）43 名、山越内（現八雲町山越、蝦夷地入り口の関所があった）1 名、帰国者 19 名、死者 32 名と散々な結果に終わったのである。死者 32 人の主な原因は野菜不足による壊血病、浮腫、そして寒さによるものと村上（2003）は説明している。

その 54 年後の 1858 年（安政 5）石坂組同心組頭秋山喜左衛門の倅幸太郎、他 27 名が志願して蝦夷地移住を願い、出立した。この第二次御用時の移住先は箱館郊外の七重村であった。養蚕・織物の産業化を行い、斜子織りまで生産できるようになったという。寛政期と安政期の 2 回に渡り八王子千人同心は蝦夷地に渡った。

原胤敦は寛政期の御用を果たしたが、蝦夷地から戻ってきた後、幕府の命で武蔵・相模国の地誌『新編武蔵国風土記稿』『新編相模国風土記稿』の編さん事業を行っている。武蔵、相模を実際に踏査し、地勢だけではなく地力・産物まで記した地誌を完成させた[6]。村絵図や明細帳以上の、近郷の資源調査と表現してよいかもしれない。

八王子から、当時地図にも満足に描かれていなかった蝦夷地に渡った千人同心は、自らの使命にどの程度リスクを感じていたのか。原胤敦は、なぜ蝦夷行きを志願したのか。蝦夷で耕作することに困難を予想しなかったのか。次々と疑問が浮かんでくる。さらに、蝦夷地で、どのような体験をしたのか。八王子に戻った後、なぜ地誌編纂に名乗りをあげたのか。

これを検討しようとすると、当時の、蝦夷地、松前藩、アイヌ、ロシ

---

[6] 八王子郷土資料館（2005）に詳しい。

ア、そして江戸幕閣の関係、さらには「境界」の意味の変化まで視野にいれねばならなくなってくる。

　後に、北方探検家の最上徳内（1754-1836）が八王子に来訪し、1812年（文化9）〜1824年（文政7）は八王子に滞在し、製蝋事業を試み普及させる。この際、後に浦賀の警備につくことにもなる松本斗機蔵とも交流している。松本斗機蔵は昌平坂学問所、江川英龍や尚歯会メンバーとも交流があり、八王子には洋学の情報がいち早く入り、ペリー来航時の詳しい情報も千人同心には伝わっていた[7]。八王子千人同心に北方の文化、洋学の知識が集まり、幕末期に海防の御用を受けることになり、横浜と八王子をつなぐ一翼を担うこととなる[8]。

　こうした八王子千人同心の疑問に近づこうとすると、18世紀末からのロシア南下や松前藩蝦夷地経営について視野に入れねばならなくなる。

第**3**節

松前藩の蝦夷地経営

　ペリー来航以前の17世紀後半より、日本にはロシアやイギリス等の船が頻繁に来航していた（表1）。特に、ロシアによる北方への接触は1780年代より始まっている。実際、表1を見ると、幕府とロシアの接触という単純な関係ではなく、幕府・松前藩・アイヌの関係、さらにはロシアとアイヌの関係が個別の論理で成立している。中でもアイヌの対松前藩、対幕府、対ロシアの関係は複雑だ。

　蝦夷地は松前藩の所領であったが、松前藩は石高制の枠外にあった特殊な存在であった。松前藩では水田がほとんどできず畑作であった。『八

王子千人同心史通史編』によると、松前藩は、幕府から蝦夷地のアイヌ交易の独占権を保証されていた。そしてアイヌ人居住の蝦夷地には商場（交易場、のちに場所と呼ばれる）が設けられ、松前藩主の支配と藩士の知行支配が行われた。知行主である松前藩士は、アイヌとの交易によって得た産物を松前に持ち帰り商人に売り渡した。商場は従来のアイヌ首長（オトナ・大将）の住む地域と対応する形で設定されたとみられる。松前藩の蝦夷地交易独占権が強化される過程で、アイヌ社会の自由な交易は制約され、その矛盾は1669年（寛文9）のシャクシャインの大蜂起を引き起こした。18世紀に入ると、商場の経営権を、運上金納入を条件に商人に任せる「場所請負制」が一般化される。商品流通の発展を背景に、大阪市場を中心とした商人の蝦夷地への進出を促すことになる[9]。

　松前藩士は知行米の代わりに交易権を受け取り、商人から収益を受け取っていた。この点で、松前藩・松前藩士・商人の結託関係が成立していた制度が、場所請負制であることがわかる。このような制度構造では、藩士・商人によるアイヌへの収奪が起こりやすい。さらに、アイヌとロシアの交易は藩士・商人にとっては、決して悪い話でもない。しかし、幕府とってみればロシア船が出没する状況になると、海防上では放っておけない問題となってくる。ここに場所請負制度の問題があった。

---

[7]　米大統領の「国書」訳文が、千人同心河野組の横川家に伝わっている。（八王子郷土資料館・2014、p.7）
[8]　八王子郷土資料館（2014）に詳しい。
[9]　八王子市教育委員会（1992）pp.254-259

表1　蝦夷地政策、幕府対外関係年表

		蝦夷地政策	幕府の対外関係
1786	天明6	10. 幕府蝦夷地調査中止 最上徳内ら千島を探検しウルップ島に至る	
1787	天明7		
1788	天明8		
1789	寛政1	5. クナシリ・メナシのアイヌ、和人の進出・迫害に抵抗して決起。松前藩、これを鎮圧。 7. 松前藩、飛驒屋久兵衛の請負場所をすべて没収。	
1790	寛政2		
1791	寛政3	5. 最上徳内らエトロフ島に至る。	9. 外国船の近海出没の報告を受け、外国船渡来の際の処置を諸大名に令する。
1792	寛政4		9. ロシア使節ラクスマン、伊勢の漂流民大黒屋幸太夫らを護送して根室に来航、通商を求める。 12. 海防強化を諸大名に命ずる。
1793	寛政5		3. 松平定信、海防のため伊豆、相模の海岸を巡視。 6. 目付石川忠房らラクスマンと会い、漂流民護送を謝し、通商に関する国宝を伝え長崎に廻航させる。
1794	寛政6		
1795	寛政7		
1796	寛政8		8. イギリス人ブロートン、海図作成のため絵鞆（室蘭）に来航、翌年にかけて日本近海を測量する。
1797	寛政9	10. 南部・津軽両藩に松前・箱館の守備を命ずる。 11. ロシア人、エトロフ島に上陸する。	11. 幕府、外国船渡来のさい穏便に処置することを諸大名に命ずる。
1798	寛政10	7. 近藤重蔵、エトロフ島に大日本恵登呂府の標柱を建てる。	
1799	寛政11	1. 幕府、松前藩から東蝦夷地の支配権を取り上げ、7カ年直轄地とする。松平忠明らに蝦夷地巡視を命ずる。 7. 高田屋嘉兵衛エトロフ航路を開く。 11. 幕府、南部・津軽両藩に東蝦夷地の守備を命ずる。	
1800	寛政12	4. 伊能忠敬、蝦夷地の測量に向かう。	
1801	享和1	1. 幕府、松前藩から東蝦夷地の支配権を取り上げ、7カ年直轄地とする。松平忠明らに蝦夷地巡視を命ずる。 7. 高田屋嘉兵衛エトロフ航路を開く。 11. 幕府、勘定奉行石川忠明、目付羽太正養らに蝦夷地巡視を命ずる。 2. 幕府、西蝦夷地上知を三奉行・林述斎に諮問する。 4. 伊能忠敬、幕命により伊豆から陸奥の沿岸測量に向かう。 5. 中村小一郎ら樺太を巡視する。 6. 富山元十郎らウルップ島に至り「天長地久大日本属島」の標柱をたてる。	

		蝦夷地政策	幕府の対外関係
1802	享和2	2. 幕府、蝦夷奉行（のちの箱館奉行）を置き、戸川安倫・羽太正養を任ずる。5. 蝦夷奉行を箱館奉行に改称。 7. 幕府、松前藩から東蝦夷地を永久上知する。 近藤重蔵ら幕命によりエトロフ島を視察する。	
1803	享和3		7. アメリカ船長崎に来港し貿易を要求。幕府、これを拒絶。
1804	文化1	8. 津軽・南部両藩に永久蝦夷地警衛を命ずる。	9. ロシア使節レザノフ、長崎に漂流民を護送、貿易を求める。 11. 林述斎、柴野栗山、ロシア使節の要求に対する措置につき幕府に回答する。 12. 最上徳内ら、輸出用海産物の調査のため関東・東海の浦々を回る。
1805	文化2	7. 目付遠山景晋らに西蝦夷地の巡視を命ずる。	1. 幕府、諸大名にロシア船来港につき警戒を命ずる。 3. レザノフの通商要求を拒否し、長崎奉行に漂流民を受け取らせ、以後漂流民の送還はオランダを仲介とすべきことを伝える。レザノフ長崎を退去する。
1806	文化3	4. 幕府、南部・津軽両藩に西蝦夷地の守備も命ずる。 9. ロシア船カラフトに渡来し、オフイトマリに上陸し、クシュンコタンの松前藩会所を襲い、番人を連行する。	1. 幕府、ロシア船来着の際の取り扱い処置を諸大名に指令する。
1807	文化4	3. 幕府、西蝦夷地を上知し、松前藩に代知9千石を与える。 4. 箱館奉行、津軽・南部両藩に宗谷防衛を指示する。ロシア船、カラフト・エトロフ島に来航して会所を襲う。 5. ロシア船、利尻島に侵入し、幕府の船を焼く。幕府、奥羽諸藩に蝦夷地出兵を命ずる。 6. ロシア人、連行の番人を通して通商を要求、拒否の場合は攻撃を予告する。幕府、若年寄堀田正敦、大目付中川忠英を蝦夷地に派遣。 8. 神谷勘右衛門らクナシリ島を、近藤重蔵ら利尻島などを巡視する。 10. 幕府、箱館奉行所を松前に移し松前奉行と改称する。11. 松前奉行羽太正養罷免される。	4. アメリカ船、長崎に来航し薪水を求める。 7. 林述斎、外国船に薪水給与を許すことを建言する。 10. 鉄砲方井上正治、下田・浦賀・房総海岸の巡視を命ぜられる。 12. 幕府、ロシア船打ち払いを命ずる。
1808	文化5	1. 幕府、仙台・会津両藩に東西蝦夷地の守備を命ずる。 4. 松田伝十郎、間宮林蔵、樺太に赴き、樺太が島であることを発見する。 7. 間宮林蔵、再度樺太に赴く。 12. 幕府、南部・津軽両藩に蝦夷地警固役を課し、南部藩を20万石、津軽藩を10万石に格上げする。	2. 近藤守重（重蔵）書物奉行となる。幕府、長崎通詞6人に商館長ヅーフよりフランス語を学ばせる。 3. 幕府、支配勘定橋爪頼助らに伊豆諸島巡視を命ずる。 4. 浦賀奉行に砲台築造のため、伊豆、相模、房総海岸の巡視を命じる。 8. イギリス軍艦フェートン号長崎港に侵入、オランダ人2人を捕らえ、オランダ商館の引き渡しを強要。長崎奉行松平康英引責自殺。 11. 佐賀藩主鍋島斉直、長崎警衛の怠慢により蟄居を命じられる。
1809	文化6	6. 幕府、樺太を北蝦夷地と改称する。 7. 間宮林蔵、北蝦夷地を出発、東韃靼を探検し、デトン府に至り帰国する。	・この年よりオランダ船の長崎入港中絶する（〜17）
1810	文化7		2. 幕府、会津・白川両藩に相模浦賀・上総・安房海岸の防備を命ずる。
1811	文化8	6. 松前奉行所クナシリ詰役奈佐政辰、ロシア艦長ゴロウニンをクナシリで捕らえる。	幕命により、会津・白河両藩、相模、上総、安房海岸に砲台を築く。

		蝦夷地政策	幕府の対外関係
1812	文化9	4. ロシア船、漂流民6人をクナシリ島に送還する。 8. ロシア船長リコルド、高田屋嘉兵衛をクナシリ海上で捕まえる。	
1813	文化10	5. リコルド、高田屋嘉兵衛を伴いクナシリ島に来航、ゴロウニン釈放の交渉を始める。 9. ゴロウニンらをリコルドに引き渡す。	1. 幕府、馬場佐十郎らを松前に派遣し、ゴロウニンからロシア語を学ばせる。 6. イギリスのジャワ総督ラッフルズがオランダ商館乗っ取りのため派遣したワルデナール永才に来航、商館長ズーフ巧にこれを拒絶する。
1814	文化11	10. 幕府、箱館、松前以外の蝦夷地守備兵の撤兵を南部、津軽両藩に命ずる。	
1815	文化12		
1816	文化13		10. イギリス船、琉球に来航し貿易を求める。
1817	文化14		9. イギリス船、浦賀に来航する。 11. オランダ商館長ズーフ、日本を去る。
1818	文政1		5. イギリス人ゴルドン、浦賀に来航し貿易を要求。幕府これを拒否する。
1819	文政2		1. 幕府、浦賀奉行を増やし2人とする。
1820	文政3		12. 会津藩の相模沿岸警備を免じ、これに代え浦賀奉行に警備を命ずる。
1821	文政4	12. 幕府、東西全蝦夷地を松前藩に還付する。南部、津軽両藩兵を全蝦夷地から撤収させる。	
1822	文政5		4. イギリス船が浦賀に来航し、薪水を求める。
1823	文政6		3. 幕府、松平定永を陸奥白河より伊勢桑名に移し、上総・安房海岸の防備を命ずる。 4. 房総代官森覚蔵に房総沿岸警備を命ずる。
1824	文政7		7. イギリス捕鯨船員、薪水を求めて常陸大津浜に上陸し、水戸藩に捕らえられる。 8. イギリス捕鯨船員、薩摩宝島に上陸して略奪する。この年、水戸藩、イギリス捕鯨船と交易の漁民300人を捕らえる。
1825	文政8		2. 幕府、諸大名に外国船打ち払いを指令する（異国船打払令） 5. イギリス船、陸奥九戸沖に来航する。
1826	文政9	10. 幕府、近藤重蔵を近江大溝に禁錮する。	
1827	文政10		
1828	文政11		
1829	文政12		
1830	天保1		
1831	天保2	2. オーストラリア捕鯨船、東蝦夷地厚岸辺に渡来、乗員上陸し交戦する。 7. 東蝦夷地有珠領に外国船渡来し、乗員上陸する。	
1832	天保3	7. 琉球にイギリス船漂着し、東蝦夷地トトホッケに外国人上陸する。	
1833	天保4	2. 幕府、ロシア人と密貿易を企てた疑いで蝦夷地場所請負商人高田屋を処罰し、手船等を没収する。	

		蝦夷地政策	幕府の対外関係
1834	天保5	8. 東蝦夷地ツカフナイに外国人上陸し、略奪する。	
1835	天保6	7. ロシア船漂流民を護送してエトロフ島に来航。	
1836	天保7		
1837	天保8		6. アメリカ船モリソン号漂流民を護送して浦賀入港、浦賀奉行これを砲撃する。
1838	天保9		6. オランダ商館長、モリソン号渡来の事情を報告、幕府、対策を討議する。
1839	天保10		
1840	天保11		
1841	天保12		
1842	天保13		6. オランダ船、イギリス軍艦の来日計画を報ずる。 7. 異国船打払令を止め薪水食料の給与を許す。8.川越、忍両藩に相模、房総海岸の警備を命ずる。 12. 幕府、伊豆下田、武蔵羽田両奉行を置く。
1843	天保14	5. ロシア船、漂流民を護送しエトロフ島に来航。	7. オランダ商館長、イギリス軍艦の来航計画を報ずる。 10. イギリス軍艦、琉球八重山諸島を測量する。
1844	弘化1	10. 外国船、室蘭・厚岸に渡来し、厚岸に上陸する。この年、箱館、クナシリなど12箇所に守備兵を置き砲台を築く。	3. フランス船、琉球に来航して通商を求める。 5. 下田、羽田両奉行を廃止する。 7. オランダ軍艦長崎に来航し、使節コープス、開国を勧告するオランダ国王書翰を呈する。
1845	弘化2		3. アメリカ捕鯨船、漂流民を護送し浦賀に来航。幕府これを受け取る。 5. イギリス船琉球に来航し、貿易を強要する。 6. 幕府、オランダ国王に返書を送り、開国勧告を拒む。 7. 幕府、海防掛を設置する。 7. イギリス測量艦サマラング号、長崎に来航し測量許可と薪水を求める。
1846	弘化3	5. アメリカ捕鯨船員7名、エトロフ島に漂着する。	3. 幕府、打払令復活、大艦建造につき海防掛筒井政憲らに諮問する。 4. イギリス船、フランス軍艦、琉球に来航する。幕府、川越藩に外国船の江戸湾内海侵入を必ず阻止するように命ずる。 5. アメリカ東インド艦隊司令官ビッドル、浦賀に来航し通商を求める。幕府拒絶する。 6. フランスインドシナ艦隊司令官セシュ、長崎に来航し薪水と難破船の救護を求める。 オランダ船長崎に入港し、風雪書幕府委嘱の武器・軍艦模型を持参する。 デンマーク軍艦、相模鶴ヶ丘沖に来航する。 8. イギリス軍艦、那覇に来航し琉球国王に面会を求める。 10. 幕府、所司代を通じて外国船来航の状況を朝廷に伝える。 琉球、外国人退去の交渉を中国福建総督に依頼する。 幕府、セシュの要求につき評定所一座・筒井政憲らに評議を命ずる。
1847	弘化4		3. 幕府、彦根・会津両藩に相模房総沿岸の警備を命ずる。 幕府、相模千駄崎、猿島、安房大房崎に砲台築造を決める。外国船を穏便に取り扱うよう浦賀奉行ならびに警備4藩に命ずる。 6. オランダ船、長崎に入港し、イギリス蒸気船の来日計画を報ずる。

		蝦夷地政策	幕府の対外関係
1848	嘉永1	5. アメリカ捕鯨船西蝦夷地に漂着、幕府、乗員を長崎に護送する。	3-4. 外国船、対馬・五島・蝦夷地・陸奥沿岸をしきりに航行する。 4. 幕府、西丸留守居筒井政憲に打払令復活の可否を問う。 6. オランダ船長崎に入港し、中国派遣のイギリス艦隊の陣容などを報ずる。 7. フランス船、琉球に来航する。
1849	嘉永2	6. アメリカ捕鯨船員3人、樺太に上陸する。	3. アメリカ軍艦プレブル号長崎に来航し、漂流民を受取り退去する。 4. イギリス軍艦マリナー号、漂流民音吉を通訳として同乗させ浦賀に来航。浦賀水道を測量後、下田に入港して測量する。老中ら学問所に臨み、海防についての意見書の提出を求める。 5. 幕府、三奉行、大小目付、海防掛、長崎浦賀両奉行、江戸湾沿岸警備4藩などに外国船打払令復活の可否を諮問する。会津藩主松平容敬、同令の復活不可を答える。 7. 幕府、松前藩主松前崇広、福江藩主五島盛政に海防強化のため新城築城を命ずる。 9. 幕府、各藩に沿海の深さ、海岸の長さなどの書き上げを命じる。 11. イギリス船、那覇に来航し貿易を強要、中山府拒絶する。 12. 幕府、打払令復活を予告して諸大名に防備の強化を命じ、四民に海防への協力を命ずる。
1850	嘉永3	4. イギリス捕鯨船、蝦夷地マヒルに漂着する。	2. 幕府、勘定奉行石河政平らに江戸近海の巡視を命ずる。 3. オランダ商館長レファイスソーン、江戸参府（最後の江戸参府）。 5. 幕府、海防掛に機密の漏洩を禁じ、民間でみだりに海防について雑説を唱えることを禁ずる。 6. オランダ船長崎に入港し、アメリカの対日通商要求について報ずる。 12. 幕府、相模観音崎砲台を改築する。この年、幕府、佐海海岸要地に台場を築く。江川英龍、伊豆韮山に反射炉を築く。
1851	嘉永4		1. 中浜万次郎ら、アメリカ船に送られ琉球に上陸する。幕府、武蔵大森に大砲演習場の築造を決める。 3. 幕府、下田の警備を江川英龍に命ずる。 7. オランダ船長崎に入港し、太平天国の乱などを報ずる。 12. イギリス軍艦那覇に入港、艦長、首里城に入る。
1852	嘉永5		5. 幕府、彦根藩に西浦賀一体の警備を命ずる。武蔵大森の大砲演習場完成し、旗本・諸藩士にその使用を許す。 6. オランダ商館長クルチウス、幕府に東インド総督の書翰を渡し、明年アメリカ使節が来航し開国を要求することを予告する。ロシア軍艦メンチコフ下田に来航し、漂流民をおいて去る。 8. 幕府、溜詰諸侯にアメリカ使節来日予定の報を伝達する。10. 幕府、朝鮮通信使の来聘を延期する。
1853	嘉永6	8. ロシア軍艦北蝦夷地久春古丹に来航し、上陸して兵営を築く。	6. アメリカ東インド艦隊司令長官ペリー、遣日国使として軍艦4隻をを率い浦賀に来航。 9. 幕府、大船建造の禁を解く。オランダに軍艦・銃砲・兵書んどを注文する。 7. ロシア使節極東艦隊司令長官プチャーチン、軍艦4隻を率いて長崎に来航する。12月に長崎に再来、国境・通商に関し、幕府と協議する。

			蝦夷地政策	幕府の対外関係
1854	安政1		6. 幕府、松前藩領の箱館とその付近を上知する。幕府箱館奉行を置く。	1. ペリー、軍艦7隻を率い神奈川沖に来泊。2. 日米和親条約締結。3. 下田・箱館2港を開く。プチャーチン再来。6. ペリー、那覇で琉球と修好条約を締結。7. イギリス東インド艦隊司令長官スターリング長崎に入港。8. 日英和親条約に調印、長崎、箱館を開港。9. 幕府、オランダに下田、箱館を開港。プチャーチンのディアナ号大阪、ついで下田に来航。12. 日露和親条約を下田で調印、下田、箱館、長崎を開港、エトロフ・ウルップ島間を国境とし、樺太を両国雑居地と定める。

　場所請負制に参入した商人の一人に、飛騨屋久兵衛がいる。現在の岐阜県下呂出身の商人だったが、飛騨屋は1774年（安永3）から20年間にわたり、クナシリやアッケシなど5場所を請け負い、下請けにも任せた。だが、1778-79年（安永7-8）のロシア人応接の出費と1786年（天明6）の幕府の御試交易による経営の中止により、1788年（天明8）にアイヌに対して鮭・鱒〆粕を確保するための労働を強制し始めた。これに反発して、1789年（寛政元）、クナシリ・メナシのアイヌが一斉蜂起し和人71人を殺害した。僅か2ヶ月で松前藩により鎮圧され、同時に、飛騨屋は1790年（寛政2）罷免された[10]。

　一方、既にロシアとアイヌの間で交易は行われていた。そして、ロシアがアイヌを手なずけているというオランダ商館が流した噂を、工藤平助がまきちらしていたというエピソードを渡辺（2023）は記している[11]。真偽はともあれ、既に、ロシアから日本への交易ルートと、ロシアからオランダを経て日本に至る交易ルートが並行して認識され始めていたことがわかる。

　また、ロシアも松前藩も、アイヌ交易を重視していた点では同様であり、幕府にとっては、華夷秩序における境界をもたない化外の地、すなわち緩衝地でもある蝦夷地で、松前藩とアイヌをどのような位置に置く

---

[10] 川上（2011）pp.46-52
[11] 渡辺（2023）p.89

べきか。幕府はやっかいな問題に直面することとなった[12]。

第4節

幕府の蝦夷地政策の転換

　クナシリ・メナシの戦いの最初の情報は、当時野辺地に在住していた最上徳内がその発生情報を、普請役見習青島俊蔵を通じて幕閣にもたらした。当初はロシアの関与が疑われたが、青島からの報告書により否定された[13]。

　1792年（寛政4）にはラクスマンが根室に来航する。この来航は松平定信ら幕閣に衝撃を与える。ここに「鎖国祖法・国法」観がうちだされ、「鎖国」が17世紀に遡って徳川日本の外交方針であったという言説が成立していく[14]。

　1796、1797年（寛政8、9）にはイギリス人プロトーンが乗るプロビデンス号がエトモ（室蘭）に入港した。幕府は1798年（寛政10）に蝦夷地に180人に及ぶ大規模な調査隊を派遣した結果、12月には蝦夷地取締御用掛を置き、翌1799年（寛政11）に東蝦夷地と東在を仮直轄（上知）とし、津軽・南部藩に警備を命じた。次いで1802年（享和2）には東蝦夷地・東在を永久直轄として、御用掛は蝦夷奉行さらに箱館奉行とした。

　幕府直轄で重視されたのは、ロシア対策と蝦夷地海産物の莫大な利益を守る経済政策であったが、中でも最も重視されたのが「ロシアに対する海防目的のためのアイヌ政策」であった[15]。蝦夷地御用掛松平忠明、石川忠房、羽太正養らの基本方針としては「蝦夷地は四方海岸にして廣大

なる嶋なれば、いづこをさして堅城砦杯を設くべき謀もあらず、されば只々夷人共を厚く撫育し、ことごとく国家の仁政にのべふし、衆人一致に心を決し、外固よりいかになづくるとも敢てかたむかざるやうに教へなすより外に施すべき術もなし」と蝦夷地御用掛の一人であった羽太正養の「休明光記」には記されている[16]。

ここでのキーワードは「撫育」である。国家の仁政を施し和風化することが撫育の目的であり、ともすると商人の利による収奪に傾くそれまでの松前藩の知行に任せる蝦夷地の間接支配から脱し、利ではなく徳による撫育を旨とした幕府による直轄支配政策への大転換であった。

この意味をはっきりと理解するためには、「休明光記」の記述を、もう少し前から読まねばならない。当時の幕閣のロシア南下に対する認識がわかるからである。

羽太正養は、場所請負人の弊害として、アイヌに対する収奪を記して

---

[12] テッサ・モーリス＝鈴木（2000）は、アイヌの交易圏について「松前の富はアイヌ生活圏を介して外国とおこなった小さくはあるが貴重な交易によっても支えられた。アイヌは和人とのあいだばかりではなく、マンジュ（満州）人、そしてウイルタ、ニヴフといった北方の共同体のあいだにも、長きにわたる交易の歴史をつくりあげてきた。この長大な距離にまたがる交易ネットワークを支える二つのルートは徳川初期におおいに栄えた。ひとつは「山丹交易」とよばれるもので、この交易は中国の物産をアムール川下流域の交易共同体を介して、サハリンを経由し、日本の松前およびそれ以南の地域にまで送り込んだ。」と、松前、アイヌが東北アジア・中国を結ぶ交易圏に組み込まれていた点を指摘している。幕府北方政策の背景の複雑さを物語るものと言えるだろう。（p.34）

[13] 岩崎（2021）p.160

[14] 桂島（2008）p.27。より詳しくは、後に「長崎での対応に不満を持ったロシア側が、文化三年九月から翌年六月にかけて、エトロフ・カラフトの日本側の施設や船を散発的に襲撃し、日本人を連行するなどした」文化露寇事件（1806-1807）により、幕府の正当性が問われた時に、松平定信が、ケンベルが記し志筑忠雄が約した「日本の繁栄は鎖国によってもたらされている」という文言を参照し、鎖国祖法論が成立したと指摘されている。（岩崎・2021、pp.140-141）。

[15] ロシアへの海防手段としてアイヌへの撫育があったことについては多くの論者が一致している。秋月（2014）は「蝦夷地を武力によって守備するよりは、アイヌ民族を日本側につなぎ止めることが眼目であった。アイヌたちは以前は和人との交易にあてる干鮭・干鮑・煎海鼠・昆布などの海産加工品を家内工業的にわずかばかり作って生活していた。しかしいまでは場所請負制度の進行とともに請負人の大規模な漁場で使役される労務者になっており、労働の過小評価ゆえに多くの債務を負わされて場所に緊縛され、請負人の収奪に任されていたからである。」（pp.128-129）と記している。

[16] 「休明光記」p.326、なお千人同心蝦夷地御用時の幕府側の資料は、この「休明光記」に拠っている。

いる。「病む事有ても医療なく、只イケマという草の根を採て食ふのみ也。されば疱瘡麻疹其他疫病の類流行する事あれば、人の死する事其数をしらず。（中略）其性まことに至愚至直なり。然るに松前家小身にて、廣大の土地、家士を以て制御する事能わず、場所々を割付、町人に預け、これを請負と名づけ、運上取たて収納とする事なりしに、彼家次第に勝手向差つまり、年々に此運上の取増を催すにより、場所引受の姦商共はまづ第一にをのれをのれの利潤をはかり、其あまりをもつて運上の増を出さむとするほどに、蝦夷人共と交易の時、米酒煙草其外の諸品に至るまで升目を掠め、秤目をくるはせ、或は腐れ損じたる品を渡しなんどあるとあらゆる非儀を行ふにより、蝦夷人どもは次第に衰徴し、松前家の苛政を恨る事すでに年久し。」これが場所請負制度に対する羽太正養の批判である。ただ、アイヌを野蛮な少数民と見做していることもわかる。羽太は続けて、今度はロシアに対する認識を記す。

「然るに彼オロシヤ人、近年邦内を廣げしは、合戦攻撃の業をなさず、唯仁を假り、恵を似せて人をなづくる事、彼國の奇法にて、あまたの國々を悉く属従せしめたれば、蝦夷人もかたのごとく衰へ松前家をうらむるよしを傅へきき、奥蝦夷地の島々より段々になつけ、既に廿嶋ばかりもおのれが有となし、猶前に記す如く、ヲロシヤ人度々東蝦夷地の内へも渡来し、是を伺ふ事しきりなり。」とし、前の文に続くことになる。つまり、ロシアは攻撃ではなく撫育で居住民を手なずけてきた。その撫育とは仁のように見せかけ、恵に見せかけている。そこで蝦夷地の場所請負商人の収奪をやめさせ、厚く撫育し、国家の仁政をはかれば、ロシアにかたむかないだろうという論理である[17]。

この考え方により、幕府の直轄支配が名目上は実現し、場所で松前藩と結託関係にあった商人によるアイヌ交易は、幕府による直捌（ちきさばき）に移行した。幕府が場所に米や味噌他、諸品を購入輸送し、蝦夷より買い取った産物は、奉行所を通じて御用扱町人へ下渡された。いわば幕府による交易統制である。蝦夷地の各会所や旅宿所の整備は警備上

の番所の警備と並んで緊急の課題だった[18]。

　海防を目的にした、撫育、場所の警備、道路の開削が直轄化の緊急課題だったのである。

　幕府は松平定信の決定を受け、具体的なアイヌ撫育政策を示している。

（1）交錯を教え、肉食を遠ざけること。

（2）この度の蝦夷地直轄は、ありがたきことだと思わせること。

（3）雇う時は疑惑を生じないように、よく働く者には賃米の他に何か
　　　与えること。

（4）日本語使用禁止をとき、日本語を使い、和人に変わるように教育
　　　すること。

（5）日本の風俗を望む者があれば月代もさせ、和服を与え、家も造り、
　　　他の者が「相羨」み見習うようにすること。

（6）親孝行・文字・数を教えること。

（7）一夫多妻を止めさせ、「人倫の道」を教え、子孫を多く残すように
　　　すること。

（8）病気になれば薬を与え、死者が多く出ないようにすること。

　このアイヌに対する政策転換は、それまでが松前藩による場所請負による利益を最優先したものであったのに対し、直轄による幕府の撫育政策は、対ロシア政策に最も重きを置いた結果によるものといえる[19]。

　このように、東蝦夷が上知され、直轄となり、アイヌ政策が大転換された時期に、八王子千人同心は 1800 年（寛政 12）に派遣されることになる。場所請負制から幕府による直捌きへの転換期に、当の千人同心は自らの使命をどの程度認識していたのだろうか。

---

[17] 高倉（1942）によると、この政策変換を「徳川幕府東蝦夷直轄の目的は国防にあり、それが為には
　　蝦夷の撫育を以て第一の手段なりとした」と当時の文脈を背景に「国防」と記している。しかし、
　　19 世紀初頭、蝦夷は華夷思想に基づいた「夷人」の土地であり、国防の前提になる国家間による境
　　界設定は、1854 年（安政 11）の日露和親条約締結時となる。

[18] 八王子市教育委員会（1992）p.263

[19] 川上（2011）pp.58-61

千人同心が理解した使命とは

　幕府は蝦夷地御用への人材を募集し、八王子千人同心の組頭原半左衛門胤敦は蝦夷地ご用を願い出た。幕府は、おそらく、直捌きを行う場所周辺の警備や、アイヌに対する撫育を行う者を求めたと考えられる。

　原をはじめとした千人同心は、その求めに手を挙げた。その理由として、挙げられるのが、槍奉行下で、かつて江戸城詰め間を一段下げられた千人同心の身分を、この挙によって回復することを狙ったという「身分回復説」である[20]。原家の資料が火災に遭って残っていないこともあり、推測するしかないが、その動機に合理性があるのか判然としないところがある。

　この挙に千人同心が適していることを説明する時に、原は自分たちが農民の扱いに手慣れているとも述べたと伝えられている。これは、当時の文脈で考えれば、アイヌの撫育には武士よりも千人同心の方が適任という意味にもとれる。現に、原胤敦は幕府への願いに、自分たちを辺土の「農兵」と称している[21]。以下が、「休明光記」に記された原胤敦の願いである。

　「八王子千人頭原半左衛門願の通組同心の子弟等召具し蝦夷地に相越御用勤むべきのよし、寛政十二申年正月十四日命ぜられる。是は半左衛門兼ての志願、武州八王子は邊土にて、彼地住居之同心日来耕作に馴たる故、其子弟厄介凡百人程蝦夷地へ召具し然る可土地に於て耕耘の道を開かせ、則彼等をして農兵たらしめば、一つの警衛たらむよしを、去年中御槍奉行迄申たりしよし、」とある。天領の辺土の半士半農が、家督の宛てが無い厄介者の同心子弟を連れ、難しい蝦夷地警固に自発的に名乗

り出た。幕府から見れば、ありがたい話と映ったのかもしれない。

　では、農や撫育の意味を千人同心はどのように捉えていたのだろうか。

　まず、東蝦夷で耕作を可能と考えた疑問である。当時、関東でも東風が入れば凶作につながることが珍しくなく、寒冷地の水田米作は非常に難しかったことは農の知として伝承されていただろう。さらに、北多摩は関東ローム層土壌で水がしみ込み、畑作が主であり、南多摩は丘陵地で谷戸田は少なく、桑畑が多かった。潅漑排水の土木技術も伝統技術に支えられていた。その中で、半士半農の千人同心がどこまで対応できると考えたのか、現代でも疑問が残る。だが、八王子千人同心石川家について「純然たる一自作農として終始し、漸次その農業経営を拡大充実している」という記述も、紹介されており、農の知識はもっていたとも思われる[22]。

　原胤敦の意図は、「蝦夷地の警備・開拓に兼ねて貧窮した千人同心全体の生活問題および二男・三男などのいわゆる『厄介』者の就職問題に対する解決策ともしたのである。」とし、「この行役によって従来半席同様といわれる、千人頭の地位の向上を目指すことも大きな目的であったろう。」とも「八王子市史」は指摘している[23]。本籍復帰運動（身分回復運動）が動機だとすれば、武士としての動機であって、農の知識を軽く見

---

[20] 八王子市史はこの身分回復説をとっている。

[21] 「休明光記」p.348

[22] 正田編（1965）p.777-778

[23] 八王子市教育委員会（1992）p.264-265　これを村上（2003）では「詰席を変えられたことに対して、本籍復帰を目指す」と表現されている。この意味は、千人同心は当初老中支配に属する槍奉行支配下にあった。ところが、1657年（明暦3）12月に「千人頭石坂勘兵衛正俊は江戸城において、不入の詰席に間違って入り、不敬の罪に問われているが、この時、千人頭全員が老中支配となり、それまでの躑躅の間詰から御納戸前の廊下詰に格下げになった。（八王子市教育委員会（1992）p.168）。野口（1981）によると、「千人同心集団は、将軍家から特別な優遇を受けていた。千人頭は登城を許され、江戸城にあっては「つつじの間」控えであった。平均四百石に満たない然も江戸から十里の地に住む千人頭の存在は、礼儀作法もわきまえない小旗本としか映らなかったであろう。」とし、先の格下げについて「千人頭は勿論、組頭同心を含めた千人同心全体の大問題であった。千人頭は以後懸命に本籍復帰の訴を幕閣にするが取り合われなかった。」と説明している。

ていた可能性もある。

　蝦夷地の寒さに耐えられると思った点にも疑問が起きるが、実は、当時の蝦夷地に関する知識そのものが、知識人の間でも心許なかったことは否定できない。何度も蝦夷地を探検し、後に八王子で千人同心と交流をもつ最上徳内は、1791年（寛政3）に記された『蝦夷草紙』で、「中華王城の土地は北極出地四十度にして百穀百果豊穣の良国なり蝦夷土地も又北極出度四十度なれば諸土産も北京の如くなるべし」と記している[24]。蝦夷地も中国も同じ北緯40度なので、中国が豊穣のように、蝦夷も豊かに違いないという。

　同様のことは、最上の師である本多利明も『経世秘策』の中で書いており「東蝦夷之諸島何れも四十度より五十度之間に所在之島々なれば、五穀百果豊熟之良国となるべきは、北極出地に依って慥かなり。既にヲランタ都城所在、北極高五十三度二十三分之土地なれども、欧羅巴に雄長たる良国なるを以て証拠とせり。」と説明している。1798年（寛政10）の著である。本多は蝦夷地に行ったことはなく、弟子の最上徳内から情報を得ていた可能性が高い[25]。

　いずれにせよ、蝦夷地開拓に関する知識を八王子千人同心がどこまでもっていたかは、これ以上検討しようがないが、結果から推測すると、それ程の危機感はもたなかったと言えるのではないか。

---

[24] 最上（1994）p.23
[25] 宮田（2016）p.239

蝦夷地での千人同心

　八王子市史にはこの蝦夷地御用プロジェクトの組織図が載せられているが、リーダーは千人頭の原胤敦、代理は弟の原新助、胤敦の下に肝煎、小屋頭、手付けと組織され、胤敦グループが 51 名で白糠へ入植した。そして代理の原新介の下にも同様の組織化がなされ、こちらの 50 名は勇払へ入植した。

　原が同心の次男・三男から選んだ 100 人は「手付」と総称され、彼らには手当として、一人につき一ヶ月金二分と三人扶持が支給されることになった。原新介は三月二十日に手付 43 名を率い八王子を先発し、原胤敦は翌日に手付 57 名を率い出発した。これが入植第一陣である。翌閏四月、三人が妻子を引き連れ入植するように命じられ、五月十日に出発した（第二陣）。次に、第一陣の欠員補助を目的に、同年秋に 100 名を目標に同心子弟に声をかけたが、応募者は 30 名に過ぎなかった。その 30 名は第三陣として、蝦夷御用江戸掛の山本良助引率のもと、1801 年（享和元）二月十日に出発した。第三陣は、第一陣が入植中の白糠と勇払へ 15 人ずつ派遣した。

　しかし、その生活は当然過酷となる。

　130 人の手付の中から、蝦夷地で病死、事故死する者、病気により江戸に帰ってきた者、その後に亡くなった者が相次ぎ、第三陣の入植から半年後の 1801 年（享和元）8 月には、死者数が 20 名に上った。1 年余りでこの数字は、現在の感覚でも大惨事と言えるだろう。その後も病気による帰国者は相次いで、1805 年（文化 2）末までには、総帰国者数は 43 名、残留者は 55 名となった。

とはいえ、その働きは、幕府中央からは認められていた。1804年（文化元）2月、箱館奉行は老中に、原胤敦を箱館奉行（同年、松前奉行に改称）支配調役に転役させるように伺いを立て、認められた。

弟の新介は同年、有珠・虻田牧場の支配取締役に任ぜられ、経営に当たった。これは、北海道における牧場の創始として、北海道畜産史上特筆される[26]。

他に、そのまま在住した者もいたが、任務としての蝦夷地御用は、1804年（文化2）で終了した。

1807年（文化4）には松前氏が陸奥国梁川へ転封となり、東西蝦夷地が幕府領となったことを受け、幕府松前奉行所は、手付を奉行所同心として抱え入れたいと老中牧野備前守忠精に申し出て認められた。これにより千人同心の一行は、松前奉行所の役人衆へ組み込まれることとなった。

現地住民の撫育という点では、直轄地行政で手勢の少ない中、役に立つと思われたと思われる。しかし、開拓という点ではほとんど成果を挙げられなかった。

勇払・鵡川での1802年（享和2）の収量は、「大麦二石七斗、小麦八斗、粟八斗、大豆十三石九斗、小豆六石六斗、蕎麦八石六斗、黒豆七斗六升、菜種二斗、栗八斗、大根一万八〇〇〇本で、穀類は合わせて三六石ほどの収穫をあげて一応の成果はみられた。しかし、六五人の食料を賄うにはほど遠いもので、ここでも、白糠場所と同様に食料の欠乏と寒気のため、病人や死亡者が続出して四年間の駐屯を維持するのが精一杯であった。文化三年には村は放置された廃屋が立ち並び惨たんたる有様になっていたという。」と『八王子千人同心史』には記されている。さらにこの失敗の原因について「温暖な多摩地方の農村に育った彼等にとって、耕作の敵は想像を絶する現地の気候・風土にあったのである。この屯田・警備の失敗は以上述べた認識の甘さによる、計画が不十分であったの一語に尽きるといえよう」と厳しい。苫小牧や白糠のような、寒い

上に、排水が欠かせないような泥炭地で、畑地で穀類を育てても収量が上がらなかったことは、仕方がなかった一面もあろう。本格的な開拓は、明治政府による開拓政策が始まってからのことになる。

また、アイヌに農耕を教えることが、直捌き体制におけるアイヌ労働力を奪うことになり、幕府も後にそれに気がつくことになったという指摘もある[27]。

結局、原胤敦は1808年（文化5）5月に江戸に戻り、霊岸島の会所で蝦夷地御用を勤めていたが、翌年11月に9年半にわたった蝦夷地警備・開拓の役を解かれて、千人頭に復帰した。また、1821年（文政4）松前奉行が廃止されたため、奉行所同心になっていた千人同心の子弟も帰国して、千人同心に8名が登用された。

蝦夷地での千人同心については、細谷（1998）に概略が述べられている。

よく引用されるのは『桑都日記』の記述で、1805年（文化元）に一時八王子に戻った時の宴会の記述に、「今日酒酣なる時、原君左右をして夷歌を唱へしむ。亦奇ならずや。聞く者驚嘆す。」とある[28]。

これを、単に蝦夷地でのアイヌとの仲の良さを示す言説と認識するか、あるいは、幕府直捌きとなった場でも松前藩から踏襲されたオムシャの風景や撫育のための接触方法と認識するかで、その意味はまったく異

---

[26] 八王子市（1967）p.692

[27] シドル（2021）p.53

[28] 塩野（1973、原本は1827）p.873

[29] オムシャとは高倉（1942）によると、年中行事としてアイヌを集め、アイヌの帰服を図る手段として条文を読み聞かせることであった。松前藩が始めたが、幕府もこれを継承したという。ここで読み聞かせる内容は、孝子善行者の褒賞、法度の申し渡し、喧嘩口論しないこと、外国より渡来のもの、又は得撫島より先々の者が来たら追い返し、会所に申し出ること、露西亜船見受候はば、注進し、会所に集まること、公儀を重んじ親夫婦仲睦まじくすること、漁業は役人に従うこと、病人有るときは会所へ申し出ること、等々である。酒飯の振る舞いがあったという。一見すると仲良き場と映るが、実際には支配関係を徹底して見せる、蝦夷統治の重要手段と位置づけられていた。（p.172-175）

なってくる[29]。松前藩と幕府の蝦夷地支配の研究において、このオムシャが果たした役割は多数記されている。いくつかの解釈を知っておくことが時代認識の上では必要であろう[30]。

千人同心が住んだ勇払・鵡川については「1801（享和元）年、はじめて村の形態を作り、居住の隊員は約 20 名といわれ、玄関形を取付けた家作の小屋が 13 軒ほどであったが、1806（文化 3）年には、すでに築地、家敷形のみ残って廃墟と化していたと伝えられる」と『家夷東環記』の記述を紹介している[31]。

幕府の蝦夷地政策も再度転換し、1821 年（文政 4）東西蝦夷地を松前藩に還付し、第一次直轄政策を中止した。

蝦夷地政策については研究が進んでおり、四口（長崎、薩摩、対馬、松前）体制と言われる対外貿易窓口体制で出発した徳川幕府だが、志筑忠雄の「鎖国論」（1801 年・享和 1）が書かれ、結局それが国内で参照されていく。「レザノフに示した通信・通商を拒否する態度、すなわち『鎖国』は、ナショナリスティックな色彩を帯びつつ、幕府の統治者としての正統性を支える要件＝国是へと転化する。ペリーの砲艦外交に屈して国書を受け取ったとき幕府の瓦解が始まる構図は、このとき成立したのだといえよう」と岩崎（2021）は明快な指摘を行っている[32]。

この転換期に、八王子千人同心は、手本となる事例もないまま、蝦夷地の情報も不確かなまま、通常の警備・開拓として北方に向かったことになる。

千人同心は、そこで撫育という、アイヌ住民との交流、悪く言えば馴化する使命には成果を挙げたと思われる。収奪商人のような態度もとらなかったであろうし、そうする理由は見当たらない。むしろ、幕府の方針通りに「撫育」に力を入れたことと推測される。

しかし、「だからこそ」彼らの身分上昇志向は高かっただけではなく、高まった可能性はなかったのだろうか。八王子にあっては半士半農の存在であったが、蝦夷地でアイヌに対する時には武士として撫育に当たっ

ていたのだろう。蝦夷御用に応募した動機が、千人同心の身分回復に
あったことは、否定できない。蝦夷地御用後の身分上昇意識が強まった
可能性もある。

　後の1854年（安政元）日米和親条約が結ばれ、伊豆下田と松前箱館
の開港が決定した。また、1855年（安政2）には日露和親条約が下田で
結ばれ、択捉島と得撫島の間に国境線が設けられ、樺太については日露
混住の地と定められた。

　1854年（安政元）箱館と周囲5-6里四方の地を松前藩から上知し幕
領とし、箱館奉行を再設置した。1800年頃の状況が、再現されることと
なり、直轄地における手勢が必要となってくる。千人同心にも募集がか
けられ1855年（安政2）には、蝦夷地で勤めたものは、「身分を取り立
てる」という一言があった。1858年（安政5）には秋山幸太郎が蝦夷地
移住願いを出し、箱館奉行に引き渡された。他15名も名乗り出、最終
的には51名が確認されている。入植地は箱館だった。中でも多くの同
心が入植したのは箱館郊外の七重村で、ここでは寛政年間の移住の時千
人同心組頭石坂武兵衛が移り住んだ土地でもあり、武兵衛の母が養蚕を
試み、機織りを農民に教授して半世紀が過ぎていた。

　箱館奉行所として、養蚕・織物の産業化を試み、勇払に比べ温暖だっ
たため、実際に見込みもたった。

　しかし、1868年（明治元）幕府が倒れると、七重村は箱館戦争に巻き
込まれる。新政府軍に加わる者もいれば、旧幕府脱走軍に加わる者もお
り、千人同心は分裂している。

---

[30] 千人同心が御用をつとめている時、伊能忠敬が東蝦夷をまわり測量を行っていた。忠敬は1800年
　（寛政12）に白糠で千人同心の吉田元治が会っている。このことを、作家の井上ひさしは伊能忠敬
　を題材にした時代小説『四千万歩の男』で、「百人の千人同心」という章で原兄弟を登場させ、オム
　シャについてアイヌ側の視線で描写している。
[31] 細谷（1998）p.26
[32] 岩崎（2021）p.140

八王子千人同心は多摩を探る視点の出発点

　八王子千人同心の蝦夷地御用を主導した原胤敦は、八王子に戻ると、もう一つの事業を始めることになる。1812 年（文化 9）、老中松平伊豆守信明から昌平坂学問所に出府するように命じられ、地誌編纂に加わることになる。原はメンバーとして上田孟縉、八木忠譲、塩野適斎、筒井元恕、風祭公寛、秋山定克、原胤明の 7 名を選んだ。風祭は途中で死亡し、神宮寺正敷が、秋山の代わりに河西愛貴が入り、これに原胤敦を加えた 10 人で調査を行うことになる。そして、武蔵、相模の地誌『新編武蔵風土記稿』を 1830 年（天保元）に完成させている[33]。

　なぜ原はこの仕事についたのか。

　白井（2004）は、原がこの仕事に就いた動機を、蝦夷地御用と同様に、千人同心一同の本籍復帰（明暦三年に格下げされた江戸城での詰席の回復）の一環と認識している。確かにそうかもしれない。だが、客観的な境界、範囲認識が乏しかった時代に、原は蝦夷地で、土地の資源、風土が重要なことを肌身で知っただろう[34]。多摩地域でも同様の思いをもったのではないかという想像も捨てがたい。幕府としても 1803 年（享和 3）以降、全国の地誌編纂は、白井自身指摘するように「当時の社会変動に対応する地域の再掌握の志向を持っていた」[35]。原が蝦夷御用で境界と範囲の感覚をもち、地力を見極める開発の目を身につけたとすれば、原の地誌編纂は適任だったとも思われる。

　調査方法は、まず当時どの村にもあった村別明細帳と村絵図を見ながら、足りない点を村役に質問する方法がとられた。

　この経験をもった千人同心には、知識人との交流があった。前述の通

り、昌平坂学問所の他にも、例えば、当時蝦夷地について最も豊富な知識人であった最上徳内は 1812-13 年（文化 9-10）に八王子に出張に来ており、1818 年（文政 4）から 1824 年（文政 7）まで八王子に在居した。その目的は製蝋業を起こすことで、関東蝋として商品化に成功している。

この期間、千人同心の松本斗機蔵は徳内と交流をもち、徳内の蔵書約 300 冊を筆写し、見識を深めた[36]。

蝦夷地御用は、ロシア南下のインパクトだけではなく、場所請負制、そして幕府、松前藩、ロシア等とアイヌとの関係を抜きにしては認識できない。さらに、当時北方では国境という概念が曖昧で、蝦夷地は日本型華夷秩序の中にあって化外の地と見做されていた。そのような認識の中で、千人同心は蝦夷地御用に出向いた。それは期せずして、八王子千人同心が世界のフロンティアにいち早く接することでもあったし、幕命を遂行する中で土地の資源の事前調査の必要性を認識した体験であった可能性がある。もしそうならば、八王子に戻った後の地誌調査は、多摩地域の有様を記録する先駆的な取組であったとも言えるのではないか。その時、組頭クラスの千人同心は半士半農のどのような視点で、地域を把握しようとしたのだろうか。

異文化との出会いと、開発対象としての地域認識の結びつきは、幕末から明治へと日本の近代化の過程で全国の人々に受け継がれていくことになる。

---

[33] 白井（2006）p.5

[34] 資源という言葉が、富の源を内包するものという現在と同様の意味で使われ始めるのは大正年間で、当初は「富源」と呼ばれていた。

[35] 白井（2004）p.172

[36] 八王子市教育委員会（2014）p.24

参考文献

秋月俊幸　　　『千島列島をめぐる日本とロシア』北海道大学出版会、2014

岩崎奈緒子　　『近世後期の世界認識と鎖国』吉川弘文館、2021

桂島宣弘　　　『自他認識の思想史─日本ナショナリズムの生成と東アジア』有志舎、2008

川上淳　　　　『近世後期の奥蝦夷地史と日露関係』北海道出版企画センター、2011

塩野適斎著、山本正夫訳、鈴木龍二編『桑都日記』鈴木龍二記念刊行会、1973、原本は 1827

志筑忠雄訳、杉本つとむ校注・解説『鎖国論』八坂書房、2015

正田健一郎編『八王子織物史』八王子織物工業組合、1965

リチャード・シドル、マーク・ウィンチェスター訳『アイヌ通史─「蝦夷」から先住民族へ』岩波
　　　　　　　書店、2021

白井哲哉　　　「八王子千人同心の地方史研究─『新編武蔵国風土記稿』を中心に」『八王子の歴史と
　　　　　　　文化 19』八王子市郷土資料館、2006、pp.1-16

白井哲哉　　　『日本近世地誌編纂史研究』思文閣出版、2004

高倉新一郎　　『アイヌ政策史』日本評論社、1942

野口正久　　　「『寛政の改革』と八王子千人同心」『多摩のあゆみ 23』多摩中央信用金庫、1981、
　　　　　　　pp.23-29

八王子市教育委員会『八王子千人同心　通史編』1992

八王子市教育委員会『幕末の八王子─西洋との接触』2014

八王子郷土資料館『八王子千人同心の地域調査─武蔵・相模の地誌編さん』八王子市教育委員会、
　　　　　　　2005

八王子郷土資料館『幕末の八王子─西洋との接触』八王子市教育委員会、2014

八王子市史編さん委員会『八王子市史　下』八王子市役所、1967

馬場憲一　　　「八王子千人同心の成立と月番制─江戸中期・同心生活の様相」『多摩のあゆみ 23』多
　　　　　　　摩中央信用金庫、1981、pp.14-22

羽太正養　　　「休明光記」『新撰北海道史第 5 巻』所収、北海道庁、1936

細谷勝司　　　「八王子千人同心『蝦夷地の開拓と警備』─皆川周太夫・日勝道踏査の周辺─」『帯広百
　　　　　　　年記念館紀要 16』帯広百年記念館、1998

本多利明　　　「経世秘策」『本多利明　海保青陵　日本思想体系 14』所収、岩波書店、1970

宮田純　　　　『近世日本の開発経済論と国際化構想─本多利明の経済政策思想』お茶の水書房、2016

村上直監修　　『千人のさむらいたち─八王子千人同心』八王子市郷土資料館、2003

最上徳内著、須藤十郎編『蝦夷草紙』東京経済、1996

テッサ・モーリス＝鈴木、大川正彦訳『辺境から眺める─アイヌが経験する近代』みすず書房、2000

吉岡孝　　　　『八王子千人同心』同成社、2002

渡辺京二　　　『黒船前夜─ロシア・アイヌ・日本の三国志』弦書房、2023、原本は 2010

自由民権運動と三多摩壮士

3

中庭 光彦

自由民権運動の見方

　多摩地域を認識する上で、自由民権運動というテーマは欠かせなかった。1960 年代～80 年代にかけて、色川大吉氏が地方の民衆史という観点から積極的にこのテーマに取り組まれ、中央の政治史とは異なる『明治精神史』など一連の著作が多くの読者を獲得した。ここで取りあげられる石坂昌孝や、北村透谷、須永連蔵、細野喜代四郎といった自由民権運動の中心人物たちは、武蔵・相模地域、すなわち多摩地域を中心にした人々であった。

　色川大吉ゼミが八王子千人同心の流れをくむ五日市の豪農の深沢家の蔵を訪れ、そこで千葉卓三郎起草の「五日市憲法」を発見し、しかも、その内容が全国の私擬憲法と比べてもトップクラスの民主主義的内容をもっていた。この「発見」を受けて、武相地域の研究者・郷土史家は、自由民権運動に熱心に取り組み、その成果は多摩地域に蓄積されていくこととなった。さらに、1884 年（明治 17）の秩父事件など、八王子－秩父－上州の織物業地域で起きた騒擾事件は、産業構造の変動を反映していた。

　自由民権運動の研究者は、明治 10 年代の民衆運動の発掘に力をいれた。しかし、明治 10 年代の民権運動活動を担った若者も、明治後期から大正、昭和初期になれば、社会を担う年齢となる。その後も生きる数十年の民権家の人生は、「民権対国権」という明治 10 年代の二項対立で括れるほど単純ではない。

　自由民権運動の頃には 20 歳代で、新聞記者から外務省に移る頃であった原敬が、後に政友会総裁となり、1913 年（大正 2）の第一次護憲

運動後の政友会幹事長に、かつての自由民権運動の闘士で野津田（現在の町田市）出身の村野常右衛門（当時 54 歳）を幹事長に指名した。村野は院外団・三多摩壮士のリーダーと目されており、護憲運動の民衆運動を実際に取り仕切ったと言われている。

　院外団、壮士のリーダーが、かつての自由民権運動の闘士であるという事実に、違和感を覚える人もいるだろう。院外団や壮士というと、仕込み杖をもち、大言壮語し、主張を通すためには暴力をも厭わない人々、どちらかといえばアウトロー的存在という意味で現在は使われる。それ故、志をもって矢折れた自由民権運動と、政党政治が根付いてきた時期の暴力的な臭いがする院外団や壮士といった存在は、イメージが重ならない。

　この「壮士」で、当時、おそらく最も有名だったのが「三多摩壮士」であった。

　色川大吉氏も、自由民権運動と三多摩壮士の関係の扱いには困ったように思われる。村野常右衛門や三多摩壮士に関するまとまった論考があるが、自由民権運動は新政府揺籃期の民衆運動であったのに対し、院外団や壮士、つまり村野常右衛門のような存在は「民権から国権に移っていった」、つまり、思想をもっていた自由民権運動から、思想無き国権的運動へ移ったと否定的な評価を行っている[1]。

　「自由民権運動と院外団・壮士」は、どの程度連続しているのか。時代の変化に応じて、どのような理由で変質していった存在なのか。さらに、なぜその壮士に、「三多摩」という言葉が冠される程、ある種の政治的暴力を容認する気分が残ったのか。これが第一の問題である。

---

[1] 色川（1980）。ここで村野を民権家が党人政治家に年齢と共に変わっていったという、民権を矮小化した、あるいは思想が薄れていったという扱い方をしている。しかし、それでは党人政治家にして実業家の側面が捉えられない。また、その村野が大日本国粋会会長をつとめた様を解釈できない。こうした色川の村野の捉え方については、高橋（1984）での竹内修からの聞き取りの中で、「村野の偉大さがでていない」「社会運動は村野が行った」と異論が出されている。

第二に、明治 10 年代に、多摩地域で民権運動は大いに盛りあがるが、一方で、この時期は将来へのチャンスが見え、立身に励む青年が生まれ始め、市場に対する考え方と自由の考え方がつながっていた時代でもあった。それに並行するように、政治参加のスタイルも変わってくる。特に、2000 年代以降指摘されているのは、日本における「青年」という言葉は明治 20 年に広く使われるようになり、以後、それまで肯定的な意味として使われていた「壮士」の意味が変わり、青年に置き換わってくるという点だ。

　そして、本稿で注目したいのが、民権家から政友会幹事長となり実業家ともなった村野常右衛門、小田急電鉄創業者の利光鶴松、京王電鉄社長井上篤太郎、横浜倉庫・京浜急行電鉄の社長青木正太郎の存在である。これら鉄道事業者の実業人が、三多摩壮士出身というのは、その経緯を探ると偶然とは言えないだろう。

　この関係を辿ると、視野には、自由民権運動、三多摩壮士、政党と開発政策、そして、話は広がり、明治から大正、昭和初期に至る世界の港湾開発競争と京浜工業地帯成立時の横浜と東京の対立、そして多摩と東京市の関係の変化と広がってくる。実業家となった三多摩壮士と、東京・多摩・横浜・京浜の関係まで言及してみたい。

多摩地域における自由民権運動の概観

　1874年（明治7）、板垣退助や後藤象二郎など土佐の民権派が、「民選議員設立建白書」を提出し、自由民権運動が始まった。これに呼応するように、全国で民権結社が設立された。多摩地域[2]では、数えられているだけでも61の結社が挙げられている[3]。

　この前年の1873年（明治6）に地租改正条例が制定されているが、この制度は、旧武士と小作人を土地所有者にしないというものだった。このため、土佐では士族が中心となり結社がつくられたが、多摩地域では豪農層が中心となってつくられたことが特徴となり、特に地主の多摩地域豪農層の民権勢力が注目されることになる。

　結社の中でも有名なのは、五日市の嚶鳴社と町田の融貫社であろう。横浜の第4櫻鳴社設立に影響を受けた八王子では1880年（明治13）第15嚶鳴社を誕生させる。1881年（明治14）11月には、原町田で開かれた武相懇親会を母体にした融貫社が設立された。主唱者は町田の石坂昌孝で、多摩地域、武相地域を広く結んだ大同団結の地方政社であった。この融貫社に名前を連ねた主要メンバーは以下の通りである。ちなみに、メンバーの生年と1881年（明治14）当時の年齢も共に記す。

---

[2]　この時期、現在の多摩地域はまだ神奈川県に含まれている。後に記す「三多摩の東京府への移管」は1893年（明治26）となる。

[3]　多摩百年史研究会（1993）p.28

〈南多摩〉

石坂昌孝（1841・天保12生／野津田村出身／名主／当時40歳、以下
　　　　　同様）

細野喜代四郎（1854・安政元／小川村／27）

青木正太郎（1854・安政元／小川村／豪農／27）

村野常右衛門（1859・安政6／野津田村／農家／22）

〈北多摩〉

吉野泰三（1841・天保12／野崎村／医業／40）

中村克昌（1853・嘉永6／上石原／名主、呉服商／28）

〈高座郡〉

山本作左衛門（1848・嘉永2／下九沢村／農家・醸造業・名主／33）

神藤利八（1846・弘化3／相原／豪農・酒造業・質屋／35）、

〈都築郡〉

櫻井光興（1844・天保15／下川井村／名主／37）

佐藤貞幹（1852・嘉永5／久保村／豪農・校長／29）

金子馬之助（1858・安政5／石川村／豪農／29）

　この年、板垣退助らが立憲自由党を設立するが、融貫社は全員同党に
投じた。板垣らは、東京に近い南多摩の勢力を歓迎した。融貫社の幹部
も自由党の宣伝につとめ、当時の名士であった大井憲太郎（1843・天保
14／豊前国宇佐郡／農家／38）、星亨（1850・嘉永3／築地／左官職人
／31）を招き、石坂昌孝、村野常右衛門、森久保作蔵（1855・安政2／
南多摩郡高畑村／農家／26）を加え大演説会を開いて地方民の血を沸か
したという。しかし、後の大阪事件で幹部が多く連座したので、その後
自然消滅したという[4]。

融貫社のメンバーを見ると、豪農層、農民、医師といった平民が多く、土佐と異なり、士族が見当たらないことは大きな特徴であろう。

　ここで考えねばならないのは、御一新の世の中になり、西南戦争も終わり、不平士族による騒乱の時代が終わった 1879 年（明治 12）以降、民権という言葉に寄せられた期待の意味である。何をどう行動すれば、自由民権運動になるのか。暴力により士族のような身分上昇をすれば、新政府とは異なる自由民権と思われたのか。つまり、政治参加の具体的な形態がほとんどわからなかったであろうことが想像できる。

　志はあれど具体的活動方向が不透明な中、集まって学習をし、演説をし、悲憤慷慨する姿は、当初の段階での政治参加行為として立派に認められたものだったのかもしれない。なぜなら、そのような行為は、幕末の武士や豪農層が目にしていた忠義と徳の表現と同類の行為であったからだ。その中には忠義のためと称した暴力も含まれていたであろう。さらに、士族の騒乱事件では、新政府に対する政治活動は、新聞による言論活動と暴力行使が入り交じっていた。民権運動者が自分たちの政治参加に、このような士族の姿を重ねてもおかしくはない。

　1879 年（明治 12）、各府県に地方議会が設けられた。神奈川県にも県会が開設され、初代の議長には石坂昌孝が就いている。

　1880 年（明治 13）には、全国的に国会開設運動と、それにともなう憲法起草運動が盛り上がった。武相地域でも、相州の 2 万余人が署名して国会開設の建白書を、また北多摩郡本集村（現府中市）出身の松村弁治朗が個人で建白書を提出している。五日市では、千葉卓三郎により 205 条にも及ぶ憲法草案「日本帝国憲法」（＝通称「五日市憲法」）が編

4　渡辺（1977、原著 1924）pp.116-118。大阪事件は、1885 年（明治 18）大井憲太郎等の自由党メンバーが朝鮮内政改革クーデターを企て、大阪で捕縛された事件を指す。この事件には自由党壮士が関わっており、首謀者の大井が軽禁獄 6 年、村野常右衛門も軽禁錮 1 年監視 10 か月の刑を受けている。

まれた。

　国会開設運動は盛り上がり、1880 年（明治 13）に国会期成同盟が結成され、全国の有志が参加した。神奈川県武相地域の自由党への入党者数は全国的にみても多く、全国自由党の牙城の一つともなった。また、石坂昌孝や吉野泰三のように、幹部として党中央の活動に関与する者もいた。

　1881 年（明治 14）に自由党は創立されたが、この年に明治天皇は国会を 1890 年（明治 23）に開く詔勅を下し、自由民権運動の沈静化を図った。全国憂国の青年は東奔西走して、同士の糾合につとめ、各地で集会や演説会が開かれた。

　だが、1882 年（明治 15）の集会条例改定で結社の地方支部が禁止されると、民権運動者たちは地方の組織化や連携に苦しみながら活動せざるをえなくなる。地域的な課題を意識した結社の活動から始まった武相の自由民権運動も、これを機に、党の方針に基づく全国的な運動に統一されていく。

　1884 年（明治 17）自由党解党後、武相地域の旧自由党系の運動家たちは、情報発信機能を充実させた神奈川県通信所を設ける。さらに、1889 年（明治 22）2 月に憲法が発布されると、中央での大同団結運動に混乱・亀裂が生じるなか、総選挙にむけた組織基盤強化のため、神奈川県倶楽部を結成したのである。

　自由民権運動に参加した若者は「志士」の気分をもち、演説と集会で世の中を変えられると信じていたのかもしれないが、政治参加のチャンネルは非常に限られていた。

壮士と青年の分離

　三多摩壮士の「壮士」は、若者という意味である。最初からマイナスのイメージで使われていたわけではない。

　佐藤（1973）によると、1881 年（明治 14）頃、全国の有志は各地で演説会などを開き、結社を盛り立てていったが、こうした若者を「有志家」や「壮士」と呼んでいたという。「尾崎咢堂（行雄）によると『壮士』というのは、明治 20 年、旧自由、改進の両党が、大同団結し、東京政府に条約改正反対運動を行ったころ、全国三千の青年行動隊が、あるいは羽織はかまで、またわらじばきで宮城前広場に参集した。彼らを『壮士』といって大いに激励したことからはじまるといわれている。真偽はともかく、『三多摩壮士』は三大建白事件と自由民権運動を通じて表面に浮かび上がり、自由党解散後、政友会の星亨、原敬時代に最も華やかな舞台に立ち、この一連の政党史の裏に忘れられることのできない足跡を残しこの政党と消長を共にしたのである」と指摘している[5]。

　つまり、1887 年（明治 20）の頃は、壮士という言葉には「志ある」という意味、さらには政治参加に積極的な若者という意味はあれ、マイナスのイメージは弱かったと言える。

　壮士のイメージが大きく変わるきっかけとなったのは、やはり徳富蘇峰の有名な論文「新日本の青年」が大きい。

　徳富蘇峰は熊本出身で、1887 年（明治 20）に発表された「新日本の

---

[5]　佐藤（1973）p.3

青年」は、国民的な人気を博した。「平民社会をつくるのは明治青年であり、明治青年は天保の老人より導かれるものではなく、天保の老人を導くものだ」という刺激的な言葉は、当時の若者の気分を変えるのに十分だった。ここで蘇峰は、「平民社会＝平民主義」を唱える。「平民社会は自営自活の社会なり」「平民社会の人間は皆な責任的な動物なることを自覚するものなり」と平民主義の人間像を描く。その上で、当時の時代認識を記す。

　「明治の世界は反動の世界なり。而して学問教育の一点に於て其勢殊に激烈にして学問を賤めたる反動は茲に学問を尊ぶの勢となれり。」とし、この後、「壮士」という言葉が用いられる。「古は学者、壮士を恐ること虎の如く、今日は壮士、学者を恐ること蛇の如し。吾人は其の何故なるを知らず、唯壮士の為に片腹痛く思ふなり。而して今日の世俗に於ては、学問の有無を以て人物の高下を判じ、学問は即ち人物の標準となるに至れり。学問の流行するも亦宜しならずや。」と説いた[6]。

　ここで「壮士」と「青年」の意味が分離される。「学者」が明治10年代までは古い学問を教えた反動の世代として認識され、「壮士」もそうした身分と直結したものされた。それに反して、新時代の「青年」は、役に立つ学問の有無が中心となる平民主義の中で、学ぶ者を指す。蘇峰のレトリックは力をもっており、福沢諭吉に続く実学のすすめとも読めるし、世代論としても秀逸であったと言えるだろう。

　この頃から、壮士が、立身を志す若者と差別化されてくる。

　木村（1998）は「『壮士』がこのような実在性をもったのは、あくまで『国民之友』以降なのであり、それゆえに『国民の友』以前に「壮士」は存在しないとわれわれは主張するのである」と述べている[7]。

　まさに1887年（明治20）は、壮士・青年という言葉の分岐点であった。

　木村は、壮士の政治的表現として「悲憤慷慨」を題材にし、「政治的闘争に生命を賭ける用意ができているということ、つまり政治的な熱意の極点のあからさまな表明たりえた。こうした原理に則って、『壮士』たち

は政治活動への熱意を示すために、生命と身体の危機を好んで追求しているということを指し示す記号の獲得へと励んだのである。そうした記号の役割を果たしたのがさまざまな暴力的な振る舞いであった。」と表現している[8]。

続けて、木村は興味深い新聞記事を紹介している。それは、全国の壮士の見本について紹介した1889年（明治22）の毎日新聞の記事である。

「近頃壮士と云へる者、日本の政治界に繁殖し……日増に増加の模様あるは日本政治界の為に嘆かはしき事と云ふべし。全国内壮士を専門の業とする者は大抵一徹に出で無産にして無業、無業にして無学、無学にして乱暴なる所は何れの地方にも異なる所なく、……又地方地方にて一定の風体あり。左図の袴壮士は加州金沢壮士の見本にして、ブランケット壮士は信濃壮士の見本なり。金沢壮士に特有の所は、第一、下駄の非常に高きこと（八寸の者あり）、第二、ヘコ帯の非常に下部にあること、第三、木製胴籃煙草入の非常に大なること、第四、左の肩を非常に高く張り、肩骨と頭の絶頂と背競べするの状あること、第五、袴の非常に短きこと、第六、ステッキの非常に太きこと、第七、ヘコ帯の幅の非常に広きこと（略）」とあり、壮士のスタイルを描写している。無業、無学と、新日本の青年とは対照的な姿を示している。

全国を見渡すと、金沢壮士、信濃壮士、と地方名の名を冠した壮士の呼ばれかたをされていたようで、三多摩壮士もその一つであった。

このように、自由民権運動の退潮期に、青年と壮士が分離し、壮士が立身の志をもたない、あるいはそうした機会から締め出された人々の政治参加のスタイルと捉えられ始めたとも言えるのではないか。

明治20年頃は、幕末維新の動乱から、明治の秩序の時代への転換期

---

[6] 徳富蘇峰「新日本の青年」

[7] 木村（1998）p.56

[8] 木村（1998）pp.101-102

であった。多摩地域の自由民権運動は、豪農層の壮士を中心にしたネットワークをもとに、東京に対する勢力として積極的な活動を始めていったこととなる。

神奈川県議会と多摩地域の東京府編入

　1889 年（明治 22）、大日本帝国憲法が発布され、1890 年（明治 23）、第一回衆議院議員選挙が実施されると、多摩地域の壮士は、石坂昌孝、瀬戸岡為一郎を応援し、圧倒的な勝利を得た。1889 年（明治 22）6 月、大同団結組織として神奈川県倶楽部が設立、旧自由党員の多くが参加していた。三多摩壮士はこうした組織の中核となっており、中でも最も急進的な集団として注目されていた。

　この選挙は、近代日本の初めての選挙制度による議員選挙であったが、ここでの壮士の役割は、選挙が始まると、有権者の獲得から始まり、他党の手から有権者を守るため、斬り合いを演じたり、また、議員の護衛をするなどであった。当時は、候補者の政治運動は候補者自身が行い、政党の組織的活動は確立していなかった。このため、どうしても候補者自身の圧力グループが必要悪として生まれていた。制度的な必要性があったため、議会開設とともに壮士の評判は上がり、壮士の議員に対する発言権も強力なものとなっていった。当初、自由党の政治は、院内の議員と院外の壮士が担っていった。ここに、政党の院内の議員活動を支える、院外団の組織化が行われてくる。

　立憲自由党の設立は 1890 年（明治 23）である。季武・武田（2011）

によると、「この党の構造は同志の組織的結合体ではなかった。全国の各地の政社が集まり合流したため、党本部の強い指導力は存在せず、ゆるやかな連合体であった。また、その地方政社も寄せ集めで、近世では村の指導者であった地主・豪農たち地方名望家が地縁血縁をもとに連合した。それを土台に個人的声望や政治的イデオロギーへの連帯感を織り交ぜ、士族、平民など様々な階層が緩やかに結合した。さらには、自由民権運動以来の壮士が影響力をもっていた。彼等が藩閥政府に身体を張って陣頭に戦ってきたのであり、地主・上層農民はそれに金銭的援助を与えていたのだが、徐々に制度が固まり社会が安定していく中で、温厚篤実な紳士である地方名望家と、実力行使を得意とする壮士の間で対立が顕在化してきた。この壮士の代表者が大井憲太郎であった」[9]。

　自由党は壮士を養成する場である「有一館」を以前より設立していた。「有一館は、自由党員のクラブであるとともに、新進青年の自由民権学を講ずる学校であり、武を練る道場でもあった。当時、地方の自由党は、いずれも、このような後進青年のために、自由民権のクラブ・学校・道場をつくっていた。（中略）神奈川・三多摩においても、自由党『凌霜館』（野津田村）、『勧農学校』（五日市）、『中講塾』（大蔵村）、『融貫社』（原町田）は自由民権運動を推進した青年の学校であり、道場であった。（中略）当時、これらの青年は、ミル・スペンサーの訳書の購読、時事の討論などとともに、必ずといっていいくらいに、剣術の稽古をはげんだ。」とある[10]。これが当時の政治運動のスタイルであった。

　1892年（明治25）は、第一次松方正義内閣で、第二回衆議院総選挙となったが、この時に品川弥二郎内務大臣の下で選挙大干渉が行われ、各地で民党候補者・壮士と警察の間で紛争が起き、死者25人・負傷者388人を生んだ。憤激した三多摩壮士は村野や森久保らが発起し二千人

[9]　季武・武田（2011）pp.77-78
[10]　平野（1965）p.170

余のデモンストレーションを行い、（神奈川）県知事、書記官、県警察部長、県下警察署長全員の追放を要求するに至った。

「明治二十五年八月、松方内閣のあとをうけて組閣にあたった伊藤博文は、井上毅の出した民党との提携策を入れて、今回の選挙を指揮した地方官や警察官の懲戒処分をきめた。こうして三多摩壮士団の出した要求は全面的に実現されたのである。そのため、三多摩壮士の名は一躍全国に鳴りひびいた。また、この勝利はかれら壮士に絶大なる自信をあたえ、三多摩における壮士組織は一大飛躍をとげたのである。明治二十六年（1893 年）、三多摩は東京府へ編入された。そして星亨らの采配のもとに、村野、森久保指揮の壮士団が、東京占領作戦に乗り出していった。」と記している[11]。

この余波が、三多摩東京府編入問題に影響を与えることとなる。

自由民権運動、まだ生まれたばかりの自由党や改進党といった政党が始まったばかりで、曲がりなりにも政治参加の経路が生まれた頃、多摩地域の画期となる事件が起こる。三多摩の東京府移管である。1893 年（明治 26）に、それまで神奈川県であった西、北、南三多摩郡が東京府へ移管されたのである。その大きな理由は、東京市への水道供給源であった。玉川上水と上流の水源林を東京市に組み込むこと、そして、全国の民権運動の中心地となっていた神奈川県の政治勢力を削ぐことにあったというのが、一般的な理解である[12]。但し、神奈川の側から見るとその風景は異なるし、事前の経緯も異なってくる。

実は、1890 年（明治 23）、北多摩郡の多摩川両岸町村を中心とした 2 町、9 村、38 名連署による「北・西多摩郡管轄替建白」がまとめられていた。それによると「幕末以来、甲信地方の繭や生糸は人馬により八王子に集荷され、神奈川（横浜）街道を経て横浜に至った。八王子や町田等の経済や文化は横浜の方が密接であり、『外国人遊歩地域』として神奈川県管轄となった。しかし、北多摩はもともと東京圏に属していた。甲武鉄道の開通は北多摩郡民の編入運動を強く刺激した。1889 年 8 月立

川－八王子間が開通し、新宿－八王子間は日に四往復、うち一本は新橋直通であり、所要時間は一時間五十五分であった。こうした条件と南多摩を中心とする三多摩の旧民権派に対する反発とが、彼等を移管運動にかりたてたのである。」と、『神奈川県史』の記述がわかりやすい[13]。

　私たちは、現在でも「多摩地域」を一括りに呼んでしまう。しかし、西多摩はもとより、南多摩と北多摩を歩いてみれば、三多摩の地勢の違い、経済圏の違いを実感する。

　五日市憲法が発見された、深沢家のある西多摩郡五日市（現あきる野市）は、江戸期は炭の取引市で栄え、江戸を取り巻く地廻り経済圏の一環として繁栄した。秋川谷の炭の生産地は檜原・養沢村などの山方である。五日市は炭と穀の交換市となり、五日市村の百姓たちは市の場所代稼ぎに甘んじないで、取引に介在する商人となり、江戸中期、炭の物品税の取り立てを委任されたことから専売権をもつ炭問屋に成長した。

　炭以外の秋川谷の主要産業に山地を利用した林業がある。江戸中期頃から杉、桧の林業が盛んになり、木材は筏に組まれ、秋川から多摩川を経て六郷を経て、江戸下町へ運ばれた。この林業は有力な元締め（材木商）を生み出すと同時に多数の農民に林業労働者としての雇用の機会を提供した。今一つ秋川谷の重要産業は、江戸後期盛んになった黒八丈である。八丈織りの技法を取り入れたこの絹織物は、泥染の絹織物で高価で、通称「五日市」と呼ばれ、全国に普及した。

---

[11] 色川・江井（1972）p.19。また、多摩百年史研究会（1993）では、次のように記している。「星は多くの『三多摩壮士』を東京市関係のさまざまなポストにつけ、市の実権を握ります。東京市は多摩にとって『就職先』の意味をもつようになり、『三多摩壮士』が首都東京で活躍するようになるのです。星は明治三四年に暗殺されてしまいますが、その星の遺志をついで東京市政を担うようになったのが『三多摩壮士』の指導者森久保作蔵でした。彼は『影の東京市長』といわれるほどの実力者となり、市政を牛耳ります。明治後半期から大正期にかけては、首都東京における『三多摩壮士』活躍の黄金時代でした。(p.101)

[12] 東京都公文書館（1966）

[13] 神奈川県（1980）p.568

また、西多摩の中心部青梅は江戸初期より石灰生産地として有名で
あった。石灰は漆喰として使われる。江戸の大火のたびに需要が増え
た。この輸送路は現在の青梅街道であり、江戸とは密接につながってい
た[14]。また青梅から陸路で飯能へ運び、そこから入間川、荒川で川越や江
戸に運ぶルートもあった。青梅街道や入間川・新河岸川に連なる北多摩
郡は、南多摩郡とは別に、江戸と直結していた。時を下り、昭和になる
と浅野セメントへの石灰供給地として南武線を通じて京浜地区とも結ば
れることになる[15]。後に登場する三多摩壮士出身にして小田急電鉄創始者
の利光鶴松は、五日市で若き日を過ごしている[16]。

　南多摩は丘陵地帯で、早くから生糸が生産され、八王子を中心に分業
が発達し、生糸・絹織物（縞）が高価な輸出品となると、浜街道（絹の
道）が形成され、横浜と強く結び付いていった。生糸貿易相場が八王子
経済にも直結しており、海外の影響も受けやすかった[17]。

　こうした三つの多摩の違いが、江戸・東京と横浜との関係を軸に意識
されていたことがわかる。

　さらに、南多摩を中心とする民権派に対して、北多摩が反発していた
ことも見逃せない。

　この三多摩移管法案に、自由党は絶対反対を表明した。当時、自由党
を指導していたのは星亨（1850-1901）であったが、反対表明は、次の
選挙での自由党勢力拡大のための論理であった。この問題を巡って当時
民権派として自由党と改進党は大同団結をしていたが、星はこれを割ろ
うとしていた。三多摩移管問題で、改進党は「星憎し」のあまり、この
法案に賛成してしまう。これを好機と見なした星は、この紛争をうまく
利用し、移管後の東京府三多摩、神奈川の選挙で、移管に反対していた
自由党を躍進させることになった。

　ここで、やはり壮士が大きな役割を果たしていた。そして、この後、
三多摩壮士が東京市中心部に動員されるようになる。星亨を後ろ盾につ
けた森久保作蔵、そしてより合理的な政治的・経済的判断ができた村野

常右衛門が「三多摩壮士」と呼ばれる壮士の窓口となっていった[18]。三多摩壮士は、原敬政友会内閣の頃、すなわち村野常右衛門が政友会幹事長となっていた頃まで政治上のあなどれない院外団勢力として機能し続けていた[19]。

　しかし、後に普通選挙法が1925年（大正14）に施行されると、院外団活動そのものが必要とされなくなり、アウトサイダーと化していく。

　三多摩壮士が東京に向け進出する契機となったのは、星亨が板垣退助

---

[14] 山本（1984）pp.18-20

[15] 青梅鉄道については渡邊（1995）が詳述している。

[16] 『利光鶴松翁手記』によると、五日市滞留時から自由党をどのように認識していたのかわかる。自由党はその後もいくつか離合集散していくが、利光が称するのはそれらが一貫してもっている「無形の自由党」で、「無形の自由党とは明治十七年大阪会議に於て自由党ヲ解党セシ時に始まり明治二十二年後藤伯が大同団結を興す迄の前後六年を云フナリ。此時代ノ自由党ハ即ち革命党ナリ隠謀党ナリ過激党ナリ言論文章ヲ以テシテハ到底藩閥ヲ倒ス能ハズ国家ヲ救フモノハ唯愛国者ノ血アルノミ。是レ自由党員共通の精神ナリ。」とし、これが自身に大きな感化を与えたと記している（pp.166-167）。

[17] 例えば、西川（1997）には、1869年（明治2）ヨーロッパで普仏戦争が勃発したために、外国商館が奇異と・蚕種の購入を見合わせることにした記録が紹介されている。（p.108）

[18] 森久保作蔵について、『八王子織物工業組合百年史』がおもしろい記述を残している。1901年（明治34）、東京府の府立第二中学校計画を府中、立川、八王子が名乗りを挙げて、結局立川に決定した（現・立川高校）。この件で「立川の成功は当時三多摩政界の重鎮村野常右衛門、森久保作蔵を見方につけたことである。特に東京府会に絶大な影響力をもっていた森久保の政治力がすべてを決したといっても過言ではなかった。（中略）ある政治通は後にこう断じている。『この事件は児戯に等しい。然しこの機を利用して八王子町会に自由党勢力を扶植しようとした村野、森久保等が西郷内相に通じて命令を出させたものである。この政治的工作に八王子町議会が踊らされたということだ。』ハタヤは選挙好きである。織物業界内部にもこれは熾烈であった。」この記述からは、既に星のグループが地方利益と国の行政の仲介役を果たし政党勢力を伸ばす活動をしていたことがうかがわれる。

[19] 『利光鶴松翁手記』に院外団についてのわかりやすい説明がある。利光が衆議院議員選挙に当選したのは明治31年、第三回目で伊藤内閣の時で、「是より以前の予の政治的活動は所謂院外運動なり」と明確にしている。そして「世の中には院外運動を軽蔑して、ヤジ運動と見做すものあり。是れ皆世人の政治思想の幼稚なるに因る。代議政体は本来輿論政治なるに、只代議士のみに放任し外部より之を鞭撻する輿論なきに於ては代議政体も亦、一種の専制政治と化するに至るは自明の理なり。故に、院外運動は代議政体に欠くべからざる必要条件なり」と記し、議員により幅広い代表機能をもたせるための装置と認識していたことがわかる。この認識は、議員と院外運動の間に恩顧主義を考えない点では自発的なものと言えるが、それ故にコントロールが効かない院外者で経済的チャンスも獲得できない者は、アウトロー化していくことをもうかがわせる。

ら旧土佐派の勢力と縁を切り、自由党、後の憲政党、政友会の方針をそれまでの「民力休養」から「積極主義」に転換を図ったことが非常に大きい。積極主義とは何か。

　星亨は、日清戦争後の 1899 年（明治 32）、憲政党東北出張所の開設理由を、『憲政党党報』で次のように述べている。

　「東北の将来は如何にすべき乎。（中略）予をして東北の取る可き方針を言はしめば是非とも憲政に適応する積極主義を取らねばならぬと断言する。（中略）農業にせよ工商業にせよ、交通機関が十分に備わらねば進まない。交通機関が完備すれば輸出入が容易になるから農商工業共に発達する。故に、交通機関を完備するのが第一必要である。東北の交通機関を以て関西に比すれば発達して居らないから之を発達せしめねばならぬ。教育に於ても普通教育にせよ高等教育にせよ皆遅れて居る。高等教育は学ぶ処が少ない。之を関西の如く高くせんとすれば積極主義を取り新たに設けるより外はない。是即ち築港の事鉄道完成の事大学を設立して人々の学問を高尚にする事を決議案とした所以である。（中略）是れは特り東北の利益を図るのではなく、一方に於て利益を得一方に於て外に不利益なしとすれば、吾々諸君と共に日本人たる責任を尽せしものと謂ふべく、是れ自由党が東北出張所を設けた所以である。」

　この表明を、有泉（1983）は「日本政党史の画期をなす出来事だった」と評価する。確かにそうだろう。それまでの民権運動から連なる自由党は、民力休養を目指し、減税要求をし、生活を豊かにするために具体的に何をすべきかは明らかにしないまま、自由を求め政府と闘争していた。ところが、ここで初めて、開発路線というべき考え方が政党側から示された。この政党であれば、地方から出てくる開発・利益欲求は党勢拡張の資源となるし、是々非々で明治政府との協調も可能になり、地域開発が可能となってくるのである。しかし、その一方で、融通のきかない壮士は不要となってくる。

　そこで、星亨グループはこうした考え方をとりながらも、東京市の市

議会を掌握し、任用制度が固まっていない市区役所、学校、関連事業へ壮士を送り込んでいった[20]。その星亨を支えたのは利光鶴松や森久保作蔵、村野常右衛門といった三多摩壮士出身の政治家、実業化だった。

　この頃には、三多摩壮士は「東京府の三多摩壮士」として、すなわち「首都とのつながりを利益にした、周縁的な政治活動部隊」として名をとどろかしていく。

　とはいえ、彼等が立身からこぼれ落ちたわけではない。三多摩壮士がどのような職についたのか。垣間見えるのが、佐藤（1992）が記録した、三多摩郷友会についての記述である。三多摩郷友会は、東京における三多摩出身者の集まりで、主として、東京府庁、東京市役所、東京電気局（市電）、警視庁（巡査）、教育局（教員）関係が多く、森久保作蔵全盛期に東京市の職についたものである。会長の内藤良助は前小石川区長で八王子出身。小学校教員、校長も多く、鶴巻小学校長が南多摩郡鶴川村出身、本所茅場小学校長が南多摩郡町田町、芝愛宕小学校長が北多摩郡調布町、麹町上六小学校長が北多摩郡狛江村、京橋槙町小学校長が南多摩郡稲城村、他多数おり、教育関係者の多くが三多摩地区で占められている。区会議員も、麹町区、四谷区、本郷区、牛込区から三多摩出身者の区会議員が当選している。星亨、森久保作蔵が自由党の戦略として、東京占領を試みた結果であった[21]。しかし、東京市民の目から見れば、地元東京市民でない人間が区議会議員となり、それが三多摩壮士と称して自由党－政友会とのつながりをもっていることは、けっして気持ちの良いものではなかったのではないか。こうした気持ちを共有した三多摩壮士反対勢力は、1922 年（大正 11）頃から壮士を帝都から除外するという

---

[20] 有泉（1983）pp.268-269、p.275。この時期、利光は深川木場の材木問屋連中の顧問弁護士という関係上、深川・問屋連を自己の影響下におさめており、市内の有力実業家と関係を築いていた（宮地・1973、p.131）。
[21] 佐藤（1992）pp.56-59

法案を都議会に提出し、三多摩壮士追放を断行しようとした。

　また1923年（大正12）の関東大震災以降、帝都復興、郊外化が進む中、東京市では大都市行政に備えるため、大正末期より東京都政案が審議されることとなる。しかし、前記のような経緯があるため、1927年（昭和2）、東京市長西久保弘道は、都政の区域について三多摩を包含することに反対の旨を力説した。この市長声明に対して、三多摩地域の市町村長は、三多摩の都制への編入を求めた。神奈川県から東京府に移管された1893年（明治26）とは逆の構図である。

　第一段階として1932年（昭和7）に東京市の隣接五郡が併合され、東京市は15区から35区となり、三多摩は東京府の中にそのまま据え置かれた。大東京市の成立である。その後、東京市拡張による人口増対応の水源確保のため奥多摩での小河内ダム建設が始まり、総力戦体制が1938年（昭和13）に成立すると、首都防衛体制強化という観点から都制促進が図られた。結局、1942年（昭和17）に東京都制案が閣議決定され、三多摩もその中に包含され、引き続き市町村制が布かれることとなり、三多摩住民の要望通り、引き続き三多摩は東京都の所属となった。

　三多摩壮士は、明治前半期は横浜とつながっている利益を共有していたが、自由党の積極主義への変質の中で、東京とのつながりを強め、それを政治資源化していった。30年余りの間に神奈川の三多摩壮士から、東京の三多摩壮士へ転換していったのである。その間に、若き壮士は、職につき、中には新中間層の勤め人や教員になる者、そして実業人となる者と分かれ、アウトサイダーが残った。

実業家利光鶴松と村野常右衛門

　これまで多摩地域の自由民権運動とその後の三多摩壮士の動きを、壮士と青年の分離、政友会の積極主義への転換と東京市の関係という切り口から見てきた。

　ここで、三多摩壮士出身者と産業界の関係について見ておこう。

　明治 20 年代までの自由民権運動を支えていたのは豪農層であった。もちろん三多摩の生糸・織物産業の集散地であった八王子織物業とは強い関係があった。幕末の横浜開港に伴い、八王子の生糸は貴重な輸出品目となったことはよく知られている。生糸の価格は高騰し、養蚕や製糸に従事する農民や商人を刺激し、増産に励んでいった。

　ただ、八王子糸の質は、若干劣るものであった。『八王子織物史　上』の記述によると「前橋堤糸は開港当初歓迎された高級品であったが、其の上に信州飯田堤糸は頭角を抽いていた。美濃曾代糸も亦可なり上級の品であった。江州糸、奥州糸は下級に属し、就中八王子島田糸は最も下等品であった」。「武州の八王子は最下等で三番以下のもので、富岡、下仁田が一番、大間々が一番半、前橋を二番と云った。信州は生稀を一番、稀無雙を一番半と云った。」と質が評価されていなかったことを記している[22]。しかし、時代が下るにしたがって価格差が縮んでいった。

　ここに前述の通り、絹の道、あるいは浜街道と呼ばれる八王子－横浜ルートが生まれてくる。しかし、先の各産地と消費地である江戸、横浜、

---

[22] 八王子織物工業組合（1965）pp.756-757

あるいは西国との関係の中で関東の絹の道を考えると、岡谷 – 甲府 – 塩山 – 上野原 – 八王子まで来た後、東京へと結ぶコースと、原町田経由で横浜へ行くコースがある。さらに、信州上田 – 富岡、高崎から中山道を通り東京にぬける、江戸時代から近江商人が使っていた中山道コースがあることもわかる[23]。

　ここに甲武鉄道、横浜鉄道ができ、東京と横浜への鉄道ルートが開かれる。甲武鉄道は 1889 年（明治 22）新宿から中野、境（現武蔵境）、国分寺を経て立川まで開業し、同年八王子まで延長した。1892 年（明治 25）には鉄道敷設法が公布され、多数の鉄道が出願・計画された。甲武鉄道は甲州財閥の雨宮敬二郎（1846-1911）が手中にするが、その勢いで 1894 年（明治 27）～95 年（明治 28）、国分寺から入間川を経て川越に至る川越鉄道を開通させた。そして 1906 年（明治 39）第一次西園寺公望内閣時、鉄道国有法が公布された。一般運用の鉄道を国有化し、一地方の鉄道はその対象とされなかった。多摩地域鉄道の中では甲武鉄道だけが国有化対象となった。

　1908 年（明治 41）には横浜鉄道（八王子 – 東神奈川）が開業し、横浜と結ばれた。輸出商品としての生糸・絹布を横浜と結ぶ目的であった。横浜鉄道の専務取締役には朝田又七、常務取締役に渡辺福三郎、取締役に若尾幾造、千坂高雄、青木正太郎が就任し、監査役には名村泰蔵、石川徳右衛門、村野常右衛門が名を連ねた[24]。ここに横浜財界と三多摩壮士から地元名望家へとなっていった人々、山梨財閥の若尾達の協力関係が見て取れる。

　また、1907 年（明治 40）渋谷をターミナルとする玉川電気鉄道が開業、1913 年（大正 2）に新宿をターミナルとする京王電気鉄道が開業した。1921 年（大正 10）に京浜電気鉄道、1922 年（大正 11）武蔵野鉄道（池袋 – 飯能）、1927 年（昭和 2）に西武鉄道村山線、小田原急行鉄道（新宿 – 小田原）が開通する。

　こうした鉄道事業をはじめとした多くの事業に関わるのが、三多摩壮

士と強いつながりをもっていた実業家である。ここでは小田急電鉄創始者の利光鶴松、横浜線・横浜倉庫など横浜財界と多摩を結んだ村野常右衛門、京浜急行の青木正太郎、京王電鉄の井上篤太郎を取りあげてみよう。

　かつての町田の民権運動リーダー村野常右衛門（1859-1927）は、冒頭の色川による評価のように、後に国権に近づいた人物として低評価されている所がある。しかし、最近、『村野日誌』の読み直しから、多面的な光が当たるようになっている。松崎（2021）では、村野の民権家、政党政治家、実業家としての顔を紹介しており、より広い問題意識の中で村野を位置づけようとしている[25]。

　『村野日誌』は横浜倉庫専務取締役に就任してからの手帳のメモで、一日一日の入出庫や予定、支払額などが細かく記されている。その仔細さに、村野が民権運動や政党で評価されたという事務能力がうかがわれる。

　村野は先に記したように横浜線に深く関わった。1906 年（明治 39）に横浜倉庫株式会社が設立されるが、発起人専務委員に村野も名を連ねている[26]。後に社長となるが、横浜財界と東京政界を行き来している姿が、その日記からはうかがえる。この経営に名を連ねたメンバーは、横浜倉庫の経営メンバーでもあった[27]。横浜倉庫の事業が横浜線敷設と東神奈川沖の公有海面埋立のセットになっていた。八王子と横浜、そして京浜埋立地・京浜運河に隣接して東京と横浜港の物流開発利益に注目したことは特徴的だ。横浜倉庫の専務には甲州財閥の若尾幾三もおり、雨宮敬次郎の後、山尾が甲州－八王子－横浜という、甲州財閥のルートを受け継いでいることがうかがえる。

---

[23] 沼（2013）p.361
[24] 以上、鉄道の記述については野田他編（1993）に拠っている。
[25] 松崎（2021）pp.75-84
[26] 横浜倉庫（1965）p.6
[27] 横浜港振興協会（1989）pp.698-699

横浜鉄道、横浜倉庫の他に、ジャーナリズムの世界でも村野は活躍した。大阪新報社、自由通信社、横浜日日新聞社、満州日日新聞社などで社長をつとめている。また第一次世界大戦後、「日本経済における満州の重要性を認識するとともに、国内の人口増加問題を解決する方策として満州移住の展望をもっていた」とされ、大陸にも関心を示していた。

　村野の盟友である利光鶴松（1863-1945）は大分に生まれ、1887年（明治20）代言人試験に合格し、神田猿楽町に代言人事務所を開設。1890年（明治23）再興自由党に入党し政治活動を行い、1896年（明治29）には圧搾空気鉄道の出願にかかわるなど実業界にも進出。院外活動を行う中、星亨の知遇を得て、1896年（明治29）東京市会議員に当選。市区改正の速成、交通機関の完成、東京湾築港の三大事業推進に努める。1898年（明治31）には衆議院議員となり星を助け1900年（明治33）の政友会内閣成立に貢献したが、1901年（明治34）に星が暗殺されると政界を引退する。

　では、利光鶴松は、どのような気持ちで実業の世界に入ったのか。

　『利光鶴松翁手記』の中で、天下を掌握するには農民の人望、宮中の信任、実業化の信用を得る必要があるとし、宮中については星亨が担当し、実業家方面は自分が担当すると約したとある。そして「普通の実業家とは根本の目的を異にせり。予は流行に支配せられて事業に関係せしにあらずして、流行を利用して実業家を懐柔するがために事業に関係せしなり。政治上の大望を達するの手段として事業に関係せしなり。然れどもそれは事業に関係せし初めの目的にして中途より其目的は一変し初め、手段として利用したる事業が却て予の本職となり漸次事業に興味を感じ政治よりも事業を好み日本第一の大政治家たらんと欲セシ大望は何時か雲散霧消して世界屈指の大事業家たらんことを理想とするに至れり」と、政治志向から実業化への変化を記している。

　利光は鬼怒川水力電気にも関わっていたが、小田原急行電鉄にはなみなみならぬ思いをもっていたようだ。「利光鶴松はもともと市内交通のみ

ならず、首都の発展にともなって郊外地域における交通網を充実させる必要性があることを主唱しており、これら交通事業が企業としての有望であることをよそくしていた。(中略) 新宿～大塚間の市内地下鉄線に続く第二段の事業として、渋谷、新宿、大塚を始点とする郊外線の建設と、その沿線の住宅開発を意図していたことにもうかがえるように、市内交通と相まって郊外未開発地域の交通網整備に乗り出そうというのが、利光鶴松のかねてからの考えであった。」と小田急社史には記されている[28]。これは、阪急電鉄の小林一三が考え、東急電鉄の五島慶太、西武電鉄の堤康二郎達も後に倣った沿線開発モデル、即ち交通、土地住宅、流通、文教、興業の各事業を組み合わせたものと同様であろう。

　小田原までの路線には、村野常右衛門の理解を得ている。政友会は全国の支線拡充を目指した鉄道敷設法の改正を 1922 年（大正 11）に行い、鉄道による地域開発の手法を前面に出すことになる。そして 1927 年（昭和 2）に小田原線が開業した。小田急電鉄（1980）によると、小田急も田園都市を造ろうとした。「小田急の歴史を語るとき素通りすることのできないものに、林間都市がある。戦前の沿線開発の目玉商品で、利光鶴松社長は『林間都市遷都（首都の移転）論』までブチあげていたほど構想雄大なものだった。昭和一桁時代に南林間地区駅周辺に野球場、サッカー場、テニスコート等が設けられた。」とある。しかし、都市の建設はかどらず、1941 年（昭和 16）に都市の名を外したという[29]。

　村野より年長の青木正太郎（1854-1932）も村野との関係が強く、京浜電気鉄道の他にも多くの事業に関わった。青木は相原村（現町田市）の豪農出身である。自由民権運動に参加し、1881 年（明治 14）に自由党に入党、神奈川県会議員に 4 回当選後、1898 年（明治 31）衆議院議員となるが 1902 年（明治 35）に政界を引退する。

---

[28] 小田急電鉄（1980）p.59
[29] 小田急電鉄（1980）p.136

実業人としては 1884 年に武相銀行頭取、1895 多摩川鉄道（八王子－品川）発起人、1899 年江ノ島電気鉄道初代社長、1900 年東京米国取引所常務理事、1908 年横浜鉄道取締役・横浜倉庫監査役、1907 京浜電気鉄道取締役（後社長）、と鉄道事業に情熱を燃やしていく[30]。特に京浜電気鉄道は、京浜埋立事業に弾みをつける役割を果たすこととなる。

　村野と同年生まれの井上篤太郎（1859-1948）は京王電鉄の中興の祖と言われている。愛甲郡三田村（現厚木市）出身である。『京王帝都電鐵三十年史』には「若い頃は三多摩壮士の運動にも伍した熱血の政治青年であった。若干 27 歳で神奈川県会議員に当選している。富士瓦斯紡績株式会社在職中〈富士絹〉を発明したことで広く知られている。この時、同社の専務取締役をしていたのが和田豊治氏であった。井上篤太郎は同社を辞職してのち神奈川県郡部から衆議院議員に選出され、大正 3 年まで政友会に籍を置いた。この代議士在任中に和田豊治氏の薦めで玉川電気鉄道の取締役兼支配人に就任して、卓抜した経営手腕を発揮していた」と紹介している[31]。1915 年に和田と森村市左衛門を通して開業間もない京王電気鉄道に専務取締役として入社し、経営再建を行い、後社長となる。彼が唱えた経営理念として「鼎足主義」が有名である。「事業は資本家・勤労者・顧客の三者によって支えられているとする認識である。これを観念的に標榜するのではなくて、実際の施策で示したところに井上の偉大さがある。」と記されている[32]。

　これら若き日に民権運動に投じた三多摩壮士は、豪農層出身であったが、後に自由党から政友会の積極主義を背景に、実業の経路で地元に開発利益をもたらすようになる。彼等が注目したのは、交通・運送・電力・土地開発であった。

　鉄道による地域開発を政友会の下で推進したが、鉄道は単に交通・物流に留まらず、住宅建設や周辺の産業開発にまで目を配っていた。既にハワードの『田園都市論』は内務省の新官僚にも影響を与え、渋沢栄一のような実業人も小林一三や五島慶太と組んで田園調布開発を行うな

ど、ハワードの社会改良モデルとしての田園都市が、日本では鉄道経営モデルとして受容された[33]。東京と郊外都市を鉄道で結ぶことにより生まれた沿線開発ビジネスモデルも、三多摩壮士から積極主義に賛同した一部の実業家の影響が大きかったことがわかる。

さらに、こうした開発志向は、京浜工業地帯の埋立事業にも影響を与えることとなる。

第 **6** 節

京浜工業地帯と横浜・東京

明治前半期、横浜は海外への主要輸出港であったが、横浜だけではなく日本の港湾を整備する必要性が 1880 年代から唱えられ始めた。1869年（明治 2）スエズ運河開通、1880 年（明治 13）パナマ運河着工を背景に、東京では「東京築港論」が唱えられ始めた。さらに 1891 年（明治 24）シベリア鉄道建設工事が始まる[34]。東京築港については星亨が東京市調査委員長になり、利光鶴松も共に、強力に推進したが、星の暗殺により頓挫した。この頓挫は、東京の外港であった横浜港が強く反対した

---

[30] 船越（1965）

[31] 京王帝都電鉄株式会社（1978）p.14

[32] 京王帝都電鉄株式会社（1978）p.15

[33] 内務省地方局で『田園都市』（1907）が出版されており、1908 年（明治 41）には日露戦争後の地方改良を図るために「戊申詔書」が出されている。政友会の鉄道政策は地方改良運動にも適合したものだった。

[34] 稲吉（2014）p.64

ことも要因の一つだった。当時は、横浜で荷が卸され、鉄道か艀で東京に向かっていた。そこで東京築港となれば、横浜の利害が損なわれることになる。

1900年代は世界交通網と国内鉄道網の結節点として海港論が展開された[35]。そのような中、浅野総一郎が1911年（明治44）に鶴見川崎地区の埋立てを申請し、1915年（大正4）に認可された。この動きには1905年（明治38）の品川－神奈川の京浜電鉄開通が影響を与えた。埋立地に立地した企業は浅野セメント、三井物産、東京電力、東京電灯、日清製粉、ライジングサン石油、芝浦製作所、浅野造船所、沖電気、旭硝子、千代田石油、東京石川島造船所、富士電機製造、日本鋼管、横浜精糖、東京電気、日本蓄音器製造、富士瓦斯紡績、鈴木製薬所、日本改良豆粕、川崎瓦斯、等である。

東京築港計画も1920年（大正9）可決されるが、その際に、横浜港が出した条件が「京浜運河」の開削であった。多摩川の堆砂で水深の浅い京浜沿岸を、京浜運河開削で東京への安全な航路を確保し、東京を横浜港の後背圏のままにして、横浜港の地位を不動にしようという狙いであった。1924年（大正13）に京浜運河開削が内務省の港湾調査会で決定される[36]。

こうした過程を経て、京浜工業地帯が生まれていった。先述の通り、京浜電鉄の開通（1907年・明治40-1930年・昭和5まで、途中常務期間を除き、青木正太郎が社長をつとめた[37]。そして、1927年（昭和2）浅野達による南武線の開通、村野達による横浜倉庫による千若町埋立といった事業がつながってくる。

京浜工業地帯埋立、「浅野埋立」造成は1928年（昭和3）に完了する。浅野総一郎は京浜運河開削に熱心であった。1931年（昭和6）の満州事変勃発により、国防上の観点からも開削事業は政府助成のもと、東京・神奈川両県が行うこととなった。ここに京浜工業地帯が重工業地帯として確立することとなる[38]。

三多摩壮士が体現する周縁性

　自由民権運動華やかりし明治10年代の中でも西南戦争以後、三多摩、特に南多摩、西多摩地域の壮士は、豪農層の若者を中心に、政治参加を果たそうとした。それは政治論争、学習、悲憤慷慨といった手段であった。南多摩は生糸・織物工業の集散地として横浜と南多摩、西多摩を結ぶルートが、浜街道・絹の道として賑わいを見せた。横浜を中心とした海外貿易の影響が及びやすかったといえる。

　しかし、徐々に秩序の時代がやってくる。若者を表す言葉として「青年」という言葉が使われるようになる。古い「壮士」と新しい「青年」という区別が台頭し、青年は立身を志すようになる。政治運動も、自由民権運動期の指導者は、明治政府対民党という図式の中で、民力休養を訴えていた。しかし、開発も良しとする自由党・星亨の積極主義が登場し、自由党と地方実業界、政府との距離は近づいてくる。ここで壮士は、三多摩を編入した東京府・東京市に院外団として乗り出し、星亨、そして森久保作蔵、村野常右衛門の下で、東京市の官員ポストに就いていく。そうでない者は、院外団という普通選挙前の政治家・政党の組織化された威嚇勢力として活動する。この東京占領や院外団の粗暴さが、三多摩壮士の評判を落としていく。

---

[35] 稲吉（2014）p.137
[36] 以上の川崎・鶴見地区埋立と京浜運河開削については松浦（2000）pp.156-186を参考にした。
[37] 京浜急行電鉄（1980）pp.272-273
[38] 横浜港振興協会・横浜港史刊行委員会（1989）pp.156-168

その中で、民権運動の指導者で後に政友会幹事長となり、鉄道事業・倉庫事業他、横浜財界・東京財界とのパイプを築いた村野常右衛門、政治運動として鬼怒川水力や小田急電鉄を立ち上げた利光鶴松、町田の民権家で京浜電気鉄道社長になった青木正太郎、京王電鉄の社長となった井上篤太郎は、政友会による積極的鉄道事業を背景に、八王子・横浜・京浜・東京を結ぶ範囲の地域開発を行った。その際、ハワードの田園都市論を沿線開発ビジネスモデルとして受容し、実現していくこととなる。

　昭和に至ると三多摩を東京府から切り離そうという動きが東京市側から出てくるが、それに三多摩壮士は反対した。既に東京と一体の行政範囲にあることの有利さを、三多摩壮士は十分にわかっていた時代であったし、三多摩壮士そのものの必要性も普通選挙法施行以降は薄れていった。

　一方、世界の港湾競争の中で、東京と横浜の利害調整の中で、京浜地帯埋立・京浜運河開削が浅野総一郎らが実現していく。そこに村野や青木も間接的な形で関わるし、南武線を通じて京浜工業地帯と多摩地域がつながることになる。

　こうした動きは、三多摩壮士、特に南多摩と横浜のつながりが、東京や京浜地帯とのつながりに重点を移す様を体現している。そして、東京中心部を政治的資源とし、あるいは、東京と横浜の仲介者的行為を政治的資源とすることが、多摩地域にとっても有利なことという「東京の周縁としての多摩」という位置づけが生まれ育っていった。この「東京の周縁としての多摩」という周縁性意識は、戦後へと受け継がれていくこととなる。

参考文献

有泉貞夫　『星亨』朝日新聞社、1983

稲吉晃　　『海港の政治史』名古屋大学出版会、2014

色川大吉　『流転の民権家―村野常右衛門伝』大和書房、1980

色川大吉・江井秀雄「三多摩壮士の栄光の時代」、東京都府中市役所『多摩市拾遺記』1977、pp.3-23

小田急電鉄『利光鶴松翁手記』1997

小田急電鉄株式会社社史編集事務局『小田急五十年史』小田急電鉄株式会社、1980

神奈川県　『神奈川県史　通史編 4 近代・現代（1）』1980

木村直恵　『〈青年〉の誕生―明治日本における政治的実践の転換』新曜社、1998

京王帝都電鉄株式会社『京王帝都電鉄三十年史』1978

京浜急行電鉄株式会社『京浜急行八十年史』1980

佐藤孝太郎著、多摩百年史研究会編『東京都三多摩―都制運動参加の記』（財）東京市町村自治調査
　　　　　会、1992

佐藤孝太郎『三多摩の壮士』武蔵書房、1973

季武嘉也・武田知己『日本政党史』吉川弘文館、2011

鈴木理生　『多摩・東京―その百年』たましん地域文化財団、1993

高橋彦博　「院外団の形成：竹内雄氏からの聞き書を中心に」『社会労働研究 30』91-118、1984

多摩百年史研究会編著『多摩百年のあゆみ』（財）東京市町村自治調査会、1993

東京都公文書館『都市紀要 15　水道問題と三多摩編入』東京都、1966

東京都府中市役所『多摩市拾遺記』1977

徳富蘇峰　「新日本の青年」『近代日本思想体系 8 徳富蘇峰集』筑摩書房、1978

西川武臣　『幕末・明治の国際市場と日本―生糸貿易と横浜』雄山閣出版、1997

沼謙吉　　『武相近代史論集―八王子・津久井を中心に―』揺籃社、2013

野田正穂、原田勝正、青木栄一、老川慶喜編『多摩の鉄道百年』日本経済評論社、1993

八王子織物工業組合『八王子織物史』1965

平野義太郎『大井憲太郎』吉川弘文館、1965

船越諄郎　「青木正太郎の一生―殖産企業型民権家」『多摩文化 18』多摩文化研究会、1966、pp.111-
　　　　　124

松浦茂樹　『戦前の国土整備政策』日本経済評論社、2000

松岡喬一　『多摩近現代史年表』たましん地域文化財団、1993

松崎稔　　「村野常右衛門の経歴について」村野日誌研究会・町田市立自由民権資料館
　　　　　『武相近代資料集 1-1　村野日誌 1　明治 42-43』町田市教育委員会、2021、pp.75-84

宮地正人　『日露戦後政治史の研究―帝国主義形成期の都市と農村』東京大学出版会、1973

山本和加子『青梅街道―江戸繁栄を支えた道』聚海書林、1984

横浜港振興協会・横浜港史刊行委員会『横浜港史　総論編』横浜市港湾局、1989

横浜港振興協会・横浜港史刊行委員会『横浜港史　各論編』横浜市港湾局、1989

横浜倉庫　『横浜倉庫 60 年史』1965

渡辺欽城　『三多摩政戦史料』有峰諸点、1977（原著 1924）

渡邊恵一　「青梅鉄道と石灰石輸送」、多摩の交通と都市形成史研究会編『多摩　鉄道とまちづくりの
　　　　　あゆみⅡ』東京市町村自治調査会、古今書院、1995、pp.80-95

軍需産業による
「多摩−京浜地域」形成

4

中庭 光彦

軍需産業地域としての多摩

　日本産業史上、第一次世界大戦は大きな契機だった。軽工業から重工業へと転換し、既存財閥に加え新興財閥が現れ始めるというのが、大雑把な理解であろう。地方経済を見回しても、1910 年代に産声を上げ現在に至る地場産業中心企業は多い。自動車・航空機は軍需品として生産されるようになり、三菱飛行機、中島飛行機、立川飛行機、昭和飛行機といった航空機メーカーは北多摩や相模原等に工場を立地していった。中でも、中島飛行機は関係従業者 2 万人を擁したと言われている。

　航空機量産のために組立のための大工場が造られたが、それに必要となる部品製造や機械加工メーカーも生まれる。部品メーカーの中には、広い敷地を求め城南地域から移転する企業も現れる。そして、工場労働者は寮や近くの住宅に住むこととなる。

　基地や軍需企業が立地した多摩、特に立川は軍都と呼ばれるまでになった。

　軍需工業化は、多摩地域にどのような影響を与えたのか。これは多摩の工業化プロセスという軸や、東京の工業化において周縁地域が果たす特徴という軸、さらには、多摩の軍需工業化がもたらした人口増加のもつ特徴という軸など、視野に入れるべき点は複数ある。

　この時期の多摩地域を、航空機産業の立地を中心とした「空都」として捉える研究や、戦後の工業化の起点として多くの中小企業技術の蓄積期として見る視点、さらにはそもそも不明確なこの時期の工場立地状況を調査している研究が見られるが、この時期の多摩地域軍需工業研究は数が多いとは言えない。

地域経済という点で見ると、軍需工業は一つの集積・分業地域を形成していたのか、それとも東京を中心とする広域工業圏拡大の中で、東京と多摩との取引の拡大と見るべきかは、議論が分かれる所であろう[1]。

　そこでこの章では、航空機産業を中心とした多摩地域の工業化から記述をはじめることとする。大正期から昭和期の工業立地・住宅開発という多摩地域における総動員体制の動きは、戦後、高度成長期の原体験を生み、現在の多摩地域を形成するに至る連続性が垣間見えるからで、見逃せない。

第2節

多摩地域への工場立地

　多摩地域への主な軍需工場として、星野（1998）は 32 社を挙げている。この他、軍需の割合が少なかった民需工業も合わせて主立った工場を挙げたのが表 1 となる。

---

[1] 多摩地域の立地工場について比較的詳細に調べているものとして星野（2012）がある。また、多摩百年史研究会編著（1993）の第 3 章（pp.97-134）は戦後の多摩地域工業化における意義を強調しており、関（1993）と同様である。また、軍需航空機産業を重点に明記したものとして鈴木（2012）がある。

表1　多摩地域の主な軍需工場

社名	昭和初期の住所	2023 年の社名	2023 年の事業
昭和飛行機工業(株)[2]	東京製作所：北多摩郡昭和村(現昭島市)	昭和飛行機工業(株)	輸送機器製造、サービス、物販
立川飛行機(株)[3]	立川市	(株)立飛ホールディングス	不動産所有、賃貸、ホテル運営等
東京瓦斯電気(株)[4]	立川工場：東大和市	・1953年に富士自動車に吸収される。現在はハスクバーナ・ゼノア株式会社 ・日野自動車、他	農林造園業機械、建設関連機器、緑化散水機器
東京自動車工業(株)	日野	いすず自動車(株) 日野自動車(株)	自動車製造
神鋼電気(株)	東京研究所：日野市(1943)	シンフォニアテクノロジー(株)	パワー電機機器、モーション機器等
六桜社	日野工場(1938)	コニカミノルタ(株)	デジタルプリント、ヘルスケア機器他
富士電機(株)	豊田工場(1943)	富士電機(株)	エネルギー、インダストリー、半導体、食品流通
東洋時計(株)	日野工場(1936)	セイコーエプソン(株)	プリンタ、産業機器、時計、他
(株)日本製鋼所	武蔵製作所：府中(1941)	(株)日本製鋼所	樹脂機械、成形機、産業機械、防衛関連、他
東京芝浦電機(株)	府中工場(1940)	(株)東芝	エネルギー、インフラ、他
日本小型飛行機(株)	工場：府中(1941)	日本飛行機(株)	航空機部品、風力発電他
中央工業南部銃製作所	工場：国分寺市(1929)	ミネベアミツミ(株)	ベアリングなどの機械加工品事業、電子デバイス、半導体、他
(株)横河電機製作所	吉祥寺工場(1930) 小金井工場(1941)	横川電機(株)	エネルギー、マテリアル、測定器、他
帝国ミシン(株)	小金井工場(1936)	(株)ジャノメ	ミシン、産業機器、他
合名会社村越精蝶	小金井工場(1938)	(株)ムラコシ精工	住インテリア事業
三共(株)	田無工場(1940)	第一三共(株)	医薬品
大日本時計(株)	田無工場(1936)	シチズン時計(株)	時計製造
中島飛行機(株)	東京工場：荻窪(1925) 田無鋳鍛工場、武蔵野製作所：国分寺市(1938) 多摩製作所：武蔵野市(1941) 武蔵野製作所と多摩製作所を合併し武蔵製作所(1943) 三鷹研究所(1944)	株式会社 SUBARU、他	自動車、航空宇宙事業
正田飛行機製作所[5]	工場：三鷹(1933)	日産自動車(株)	自動車製造、他
三鷹航空工業	工場：三鷹(1933)		
中西機械製作所	工場：三鷹市(1938)		
日本無線電信電話(株)	工場：三鷹市(1938)	日本無線(株)	マリンシステム事業、他
東洋製鋼(株)	調布工場(1937)		
日本針布(株)	東京工場：調布市(1932)		
東京重機製造工業組合	工場：調布市(1939)	JUKI(株)	ミシン製造

社名	昭和初期の住所	2023 年の社名	2023 年の事業
国際電気通信(株)	狛江工場(1940)	(株)日立国際電気	情報通信システム
東京航空計器(株)	狛江工場(1939)	東京航空計器(株)	航空宇宙機器、産業計測機器、他
日本特殊鋼材	町田製作所(1937)		

星野（1998）に加筆

　この様に、多摩地域には昭和初期に少なからぬ軍需工業が立地していたことがわかる[6]。これら企業の多くは、東京都心〜城南地域の企業が移転してきたものであった。つまり、組立工場に納入する部品工場共々移転してきたもので、その主要取引先は中島飛行機であった。

　軍需品は秘匿事項が多いために協業が難しい。このため、地元中小企業の分業体制は形成されにくい。この点、小規模な織物工場が機能毎に分業・集積し、織物分業が発達した八王子とは対称的である。この様子を、多摩百年史研究会（1993）では、「租界」と、うまい表現をしている。「これらの疎開してきた軍需工場は、当然、機密保持の性格が強く、自己完結的な立地展開を示し、地域工業として周囲に波及するものは乏しく、さらに市街地から離れたヒンターランドというべき所に立地した

---

[2] 昭和飛行機（株）は 1937 年（昭和 12）設立され、翌年に東京製作所が開設された。立地理由として「工場予定地は当時私鉄であった青梅電気鉄道・中神駅と拝島駅の中間にあって、同電鉄とこれにほぼ平行して流れる玉川上水とに挟まれた台形をなす理想的な平坦地であった。」と記されている（昭和飛行機工業・1977・p.18）。

[3] 立川飛行機（株）は 1924 年（大正 13）に石川島飛行機製作所として設立された。当時の工場は月島にあったが、1930 年（昭和 5）に月島工場が立川に移転した。1936 年（昭和 11）に立川飛行機に商号変更された。

[4] 東京瓦斯電気工業は、1939 年（昭和 14）に日立グループとなり、航空機部門が日立航空機となった。

[5] 正田飛行機製作所は、戦後、「たま自動車」と名称を変え、石橋グループの傘下ととなり、電気自動車の製作を行った。（齋藤、2000）

[6] 多摩の交通と都市形成史研究会（1995）では多摩広域の軍基地もリストアップしている。その上で、軍事施設・軍需工場等を結ぶ道路として東京外郭環状線のコンセプトが生まれ、戦後も受け継がれ1953 年（昭和 28）横浜市〜千葉市を二級国道 129 号東京循環と指定し、1955 年（昭和 30）の拝島橋完成後、1965 年（昭和 40）、一般国道 16 号に指定された旨が記されている（pp.119-123）。国道 16 号線の概念が、戦前の軍需産業物流路として構想され、実際の一般道がその物流を代用し、道路が実現するのは 1965 年という高度成長期である点に注目したい。

ため、自治体や住民の目からは隔離されたものとなっていったのです。いわば多摩に戦前戦中に疎開してきた軍需工場はそれ自体で『租界』を形成するものであったといってよいでしょう。」と的確な指摘を行っている。

その疎開してきた企業群も、東京全体での軍需工場規模で比較した場合、多摩地域が特筆する程多いとは言い難い。

例えば、戦時中には、統制経済を進めるために統制会・工業組合の組織化が行われた。その一つである「東京航空機器製造工業組合」の加入企業を見てみよう[7]。この組合は1937年（昭和13）に設立されており、理事長は中島喜代一（中島知久平の弟で中島飛行機社長）である。目的は「一．鉄鋼其の他必要ナル物資の斡旋。二．統制。三．営業に必要なるモノの供給。四．営業に関する指導、研究調査」とある。

この組合には190名が参加しているが、その内、住所が多摩地域の企業は、吉祥寺の近江製作所、昭和航空計器、原光学機械、二神飛行機部品製作所、三鷹の正田飛行機製作所、新興機械工業、千代田精工、中西航空、三鷹航空工業、立川の立川飛行機、小平の多摩製作所、武蔵野・田無の中島飛行機、中島航空金属、豊和重工業の14社で7%強にすぎない。一方、品川、大森、蒲田の企業数は71社で37.3%となっており城南・京浜地域の企業が多数を占めていることがわかる。さらに、こうした業種別組合とは別に、東京城南鋳造工業組合が別途作られており、251の参加者がいる。品川区、大田区等の城南・京浜地域では中小企業の協力体制が見られるが、それは関東大震災後の昭和初期に、この地区に中小企業が集積したことが始まりで、それが工業化の基盤を形成しつつあったことがうかがえる。

また鈴木（2006）では多摩地域の従来の主要産業であった織物業が、力織機導入により大正期より製糸価格は上昇を続け、昭和恐慌後は回復基調に戻ったが、多摩地域の土地利用が桑畑から蔬菜畑地に転換し、工場用地が移転し工場・住宅地に転換し、労働力が機械工業に移転し、生

産縮小に至ったと指摘している[8]。

　組立工場は多摩地域に立地したが、部品等の機械・金属加工は城南・京浜地域に頼っており、多摩地域との結びつきがここで形成され強化されたとも言えるし、東京の工業地域が秘密性の強い軍需工業と共に、郊外へ拡大したとも言える。しかし、その多摩の進出企業は租界を形成したという指摘は、当たっているようだ。軍都ではあったが、軍需工業集積、企業間協力による分業地域には至らなかった。このため組立工場が空襲で破壊されると、技術者や中小企業の多くは散逸した。

第**3**節

軍需産業に対応した住宅政策

　城南・京浜、そして多摩地域という郊外への工場立地の遠因には、関東大震災による郊外への人口移動がある。東京市 15 区時代から、15 区に隣接していた荏原郡、豊多摩郡、北豊島郡、南足立郡、南葛飾郡の 5 郡への人口が増加し、郊外化が進んでいた。そのためこの 5 郡を 20 に分割した新設区とし、合計 35 区とする大東京市とし（1932 年・昭和7）、現在の特別区の原型となる都市化が急速に進んでいた。

　京浜・城南地区の工業化もこの流れと軌を一にしている。大田区を例に取ると、その工業化のスタートは遅い。多摩地域でも航空機製造の先駆けを果たす東京瓦斯電気は、現在の大田区大森に立地し 1919 年（大

---

[7]　東京市商工貿易組合協会（1943）
[8]　鈴木（2006）pp.352-353

正 8) に軍用貨物自動車を製造し、新潟鐵工の蒲田工場でも 1933 年 (昭和 8) に自動車用ニイガタ・エアレス・ディーゼルエンジンを完成させ、日本内燃機大森工場で小型自動車「わかば」を量産するなど、軍需工業に至る自動車工業の部品加工から組み立て、そして試作から量産までのプロセスを着実に進めており、機械・金属加工の集積効果が機能していたと考えられる[9]。

　1941 年 (昭和 16) に重要産業指定規則が施行され、主要業界に統制会が設置されるが、大田区 (大森区・蒲田区) の軍需大臣指定工場事業場一覧を見ると、172 社が指定されている。航空機産業は自動車以上に精密かつ複雑な部品加工・組立と安定的な量産が求められ、実際には大工場に労働者を集めても、生産の歩留まりが相応に上がるとは考えにくい。当然、優良な部品加工企業集積地との関係は保持したいのが航空機メーカーだが、城南地区では航空機だけではなく軍用車両や戦車、銃、舶用機器等も製造しなくてはならず、生産能力にも上限がある。

　その上、統制経済体制を維持するために、政府は郊外へ移転した軍需工場の労働者住宅を確保する必要に迫られていた。このため、陸軍の工廠や飛行機工場は多数の住宅、寄宿舎を組立工場に近接した場所に建設した。木造低層住宅ではあるが高密の住宅が、立川、昭島、東大和、武蔵野、田無、日野などに造られていく。しかし、それでも住宅は足りなかった。戦時体制をつくる中で、住宅政策も統制の主要項目となったのである。

　多摩地域に軍需工場が移転してくる昭和 10 年代は、国政上でも統制経済への転換が矢継ぎ早に進められた時期だった。1938 年 (昭和 13) 国家総動員法が制定される。1940 年 (昭和 15) には防空対策として工業分散政策が決定され、同年、都市計画法は改正され緑地 (通称防空大緑地) を決定できることになり、砧、神代、小金井、舎人、水元、篠崎の 6 緑地が決定された。1942 年 (昭和 17)「工業規制地域及び工業建設地域に関する暫定措置」が閣議決定され、防空法による工業規制地域

が、八王子市、立川市、北多摩郡全域、南多摩郡の大部分、西多摩郡福生町に指定された[10]。

　中央での住宅行政は生まれたばかりで、所管は内務省の外局であった社会局の担当であった[11]。1938 年（昭和 13）には厚生省が新設され、社会行政は内務省から厚生省へ移管された。厚生省の設置は陸軍からの強い要請があったと言われ、その目的は国民体力の向上、中でも結核対策等に重点をおき軍の基盤を培うことから出たと言われている。当初は社会政策として認識された住宅政策であったが、厚生省に移管され軍需産業の勤労者不足問題として住宅政策が認識されるようになった。このため、1939 年（昭和 14）政府は労務者用住宅供給に関する通達を各道府県に発し、軍需ならびに生産力拡充計画に伴い増加する労務者のために必要な住宅を、1939 年（昭和 14）以降三カ年間に確保することを定め、そのために必要な資材の斡旋、大蔵省預金部資金の融資をすることとなり、厚生省でも住宅課を新設した。1941 年（昭和 16）10 月 31 日までに建設された住宅は全国で 14 万戸に達した。

　それでも足りぬ住宅供給のため、関東大震災の復興住宅を建設していたそれまでの同潤会を解体し、住宅営団法を制定し、政府出資による特殊法人住宅営団を設立し、1941 年（昭和 16）以降五カ年で約 30 万戸の住宅を供給する計画を立て、実行していく[12]。多摩地域でも営団住宅が建

9　大田区立郷土博物館（2015）pp.54-55

10　東京市町村自治調査会（1999）pp.31-32

11　内務省社会局は 1922 年（大正 11）に、労働行政と社会行政を併合して推進するために新設された部局であった。この背景には第一次世界大戦後の労働組合、労働争議といった労働問題に対処するためだった（『内務省史第三巻』p.391）。関東大震災の復興事業としての同潤会の住宅建設はこの体制の下で行われた。したがって、同潤会は東京や横浜などの震災被害地が中心であった。後の住宅営団はその範囲を全国に広げることとなる。

12　『厚生省 20 年史』pp.231-232。厚生省の住宅局は、戦後、建設省に移管されることとなる。尚、住宅営団は敗戦後の 1946 年（昭和 21）に閉鎖されたが、16 万戸を建設したと言われている。同潤会、住宅営団、の技術者達は、復興事業後、戦後の建設省住宅局や日本住宅公団に移行することとなる。

設され、調布町上布田、三鷹町深大寺、田無町北原に建てている。従業員住宅としては立川飛行機が立川市高松町に、陸軍航空工廠が八清住宅と呼ばれた大規模住宅地を昭和町福島（現昭島市玉川町）、瓦斯電機（日立航空機）が大和町南街、日野自動車が日野台2丁目−4丁目に建設している。八清住宅には公園、映画館、診療所、郵便局、マーケット、浴場、幼稚園、図書館、神社までが建設されたといわれている[13]。

　住宅営団については資料が少ないが、貴重な証言が残っている。1940年（昭和15）当時厚生省社会局住宅課技師で、後に名古屋大学名誉教授となる早川文夫（1911・明治44〜2006・平成18）は大本圭野の聞き取りに、次のように述べている。

　「戦争の気構えで軍需産業を急速に起こす必要があったわけです。そのために労務者がどんどん都会に来るのですが、住宅が十分でないために、生産が阻害されるという状況がだんだんわかってきた。放っておくと軍人に資材なんかをみんな取られてしまって、一般の民需が足りなくなってしまうわけです。大きな会社なら社宅を建てさせればいいんだけれど、軍が直接、被服などをつくっている軍作業庁とその下請け工場の小さいのがあって、そういうところに来る人の住宅がないという状況があった。そういう人たちに対して住宅をどういうふうに供給するかということが問題だったわけです。」[14]

　また、住宅営団で働き、戦後は鹿島建設取締役、市浦建築事務所会長をつとめた市浦健（1904年・明治37〜1981年・昭和56）も同書で、住宅営団時代の証言をしている。資材が満州や中国に回り鉄筋をつくることができず、木造住宅ばかりだったことや、都市部よりも軍需工場周辺で住宅不足が起きたこと、入居者の選考も、軍需工場と直結していたこと等である[15]。市浦は別書で、興味深いことを記している。

　「住宅営団というのは、（中略）木造の一戸建てか長屋建しか建てられなかったので、現在は殆ど残っていない。しかし、日本で初めて大きい集団住宅地の計画が実現して、その計画技法もこの時はじめてスタート

したといえる。亦、別に苦肉の策として始めた大量生産も、自ら木工機械を購入した大工にその技術を教育し、更に少年工を養成する他、現物に加工し、組立工場を作って、いくつかの団地を建設した。そのひとつが田無に残っていたが、もう取りこわされたと聞いている。又、古材で作った団地も、浦和に残っていたが、これも同じ運命をたどっているのは当然のなりゆきである。これらの経験が殆ど現代に引き継がれていないのは残念である」[16]。木質住宅ながら、量産化の苦肉の策としてプレハブ工法に近いことを行い、現在のツーバイフォーに近い住宅であったが、その生産技術が引き継がれなかったという認識は、ある技術経験が、そのまま技術基盤の継承につながるわけではないことを示唆しており興味深い。

　こうして、軍需に応じた住宅も逼迫しながらも続けられ、工場労働者のみならず区部よりの疎開者も飲み込み、多摩地域の人口は急激に上昇した。

　1940年〜1944年を除く1925年からの5年毎の増加率も112%から120%と上昇している。これは高度成長期の人口増加率ほどでないが、急激な人口増加といえる。

---

[13] 東京市町村自治調査会（1999）pp.32-33

[14] 大本（1991）pp.53-54

[15] 大本（1991）pp.95-110

[16] 市浦（1984）pp.107-108

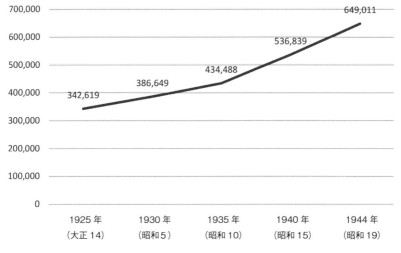

図1　多摩地域人口変化（東京市町村自治調査会・1999、p26をもとに作成）

中島飛行機の意味

　こうした人口増加をもたらしたのが軍需工場群であり、その中心的位置を占めるのが中島飛行機である。1917 年（大正 6）に中島知久平（1884-1949）により現在の群馬県太田市に設立された航空機メーカーである。機体・エンジン両方の製造を行い、後に多摩地域の荻窪（1925）、田無鍛鍛工場、国分寺（1938）、武蔵野（1941）、三鷹（1944）に工場を設け、海軍・陸軍の両方に航空機生産を行った。そして終戦後は解体さ

れ、現在のSUBARUや日産自動車等に至る流れを形成した。
　特に、武蔵村山市には日産自動車村山工場が 2001 年（平成 13）まで

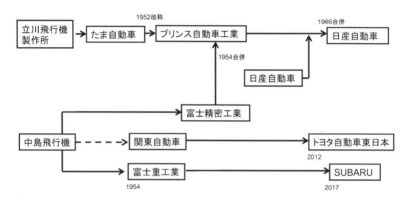

図2　中島飛行機、立川飛行機から自動車企業への変遷簡略図

存在しており（現在はイオンモール武蔵村山）、他の軍事基地、軍需工業
跡地にできた公園、大学等と共に多摩地域の工業の一つの象徴であった。
　中島飛行機については、航空機産業史、エンジンの技術史、広範な経
営史、製造工程史などの面からいくつか研究がなされている[17]。当時とし
ては最先端機械産業であった航空機産業は、大量の部品を精密に組み上
げ安定的な量産にもちこまねばならないという点で、自動車同様に裾野
が広い産業だ。ここでは、多摩地域に与えた影響という観点からのみ言
及することとする。

---

[17] 中島飛行機の主要研究としては高橋（1988）、佐藤（2016）、桂木（2002）、エンジン研究としては中
川・水谷（1985）が挙げられる。またフォードシステムの日本への受容という観点から、中島飛行
機のケースが丹念に検討されている和田（2009）があり、後の自動車工業への転換という点で役立
つ。また研究開発の点からロールスロイスと中島飛行機を比較した大河内（1993）等がある。

第一は、中島飛行機の取引先と、その取引先が地場産業を形成するような特徴をもっていたかどうかである。当時の航空事業者の三菱重工業、中島飛行機、川崎航空機、愛知航空機、日立航空機、日本国際航空工業は機体とエンジンの両方を製造していた。佐藤（2016）は「欧米では、航空機体とエンジンの両方を製造した会社は珍しい。当時の日本では工業の裾野が狭く、航空機製造という高度の機械工業に対応できる会社が限られていたことによるものと考えられる。」と指摘している[18]。現代から見ても、両方を製造するとなると、当然、膨大な協力企業群が必要となると想像されるが、分業に耐えうる程、機械工業の厚みが無かったのだろう。

　中島飛行機の関連会社については、機体部門の下請け工場数は 600、エンジン部門の下請け工場数は 300 であったといわれ、中島の協力工場依存度は、機体関係が 60％、エンジン関係が 30％と、町工場的な協力工場への依存が高かった[19]。これは多摩に限らず中島飛行機の全製作所の数字である。エンジン関係の 70％は工場で内製されていたこととなる。

　同書には、町工場の逸話が紹介されている。本所のある工場の軒先に「中島飛行機株式会社協力工場」と書かれた看板があり、板金屋の職人がランプや計器盤のフード、砲弾ケースなどをハンマーで叩き出し成型していたという話である。さらに、こうした部品の運送方法として、当時入手困難な電車乗車券を中島飛行機社員は手に入れられるため、部品輸送に社員がリュックで部品を引き取り、出荷、入荷の検査もろくにされていなかったことを紹介している。軍需機密の中で、分業企業が協力に出向くような関係は生まれにくかったと言い得る。

　また、エンジンとプロペラはアメリカのライセンス生産で、工作機械も 1938 年（昭和 13）の荻窪製作所では機械台数 1,140 台の内 570 台、実に 50％がアメリカ製であった。1940 年（昭和 15）のアメリカの工作機械対日禁輸措置により、輸入は極めて困難となった。歯車生産に欠かせない歯切機械はまったく国産化できず、工作機械という基礎工業は自

立できていなかった[20]。

　航空機生産の大工場が東京郊外の多摩地域に立地したが、それを支える技術は数年で国産化できる程生やさしいものではなかったと想像される。しかも、基本的な部品製造は京浜地域の工場に依存しており、協力会社が増えるほど分業の裾野が広くなったわけではなかった[21]。

　もちろん、この中島飛行機をはじめとした軍需工業の技術が戦後に継承され影響を及ばさないわけはないだろう。しかし、それをどのような意味に解釈するかは難しい問題である。中島飛行機の設計・製造工程に関わった技術者が、その後、異なる製造品で力になったという話ならば、富士重工業などはその典型だろう。しかし、試作、そして半流れ作業方式と言われた量産製造工程とその管理に関わる仕事が、分業化されて確立されたのか。そして、それら全体としてのものづくりが民需に転換し、どう戦後に受け継がれたのか、判断が難しい。

　第二に、工場労働者についてである。中島飛行機は、1943 年（昭和18）11 月に武蔵野工場、多摩工場を合併し、武蔵製作所となったが、合併 4 か月後の実績を見ると工場人員は 34,000 人に達している。それらの人々は、工場内宿舎や近隣に居住することとなった。空襲を受けることにもなるが、ここに集まった労働者は、熟練工ではなかった。

---

[18] 佐藤（2016）p.19

[19] 高橋（1988）p.96

[20] 東京都機械工具商業協同組合創立五十周年記念事業委員会（1960）によると、統制経済期においても「国産機械の技術が向上したとはいえ、未だ精密機械においては外国製品に依存せざるを得ぬ現状から機械輸入と経済統制に大いに活躍するところがあった。」とある。しかし、1941 年（昭和16）独ソ戦が始まると、シベリヤ経由でドイツ工作機械の輸入が途絶し、太平洋戦争を迎えたという。（pp.63-64）

[21] 戦争末期になると中島飛行機や立川飛行機、三菱重工といった企業でも、資材調達が難しくなってきた。岐阜県高山市の木工会社『飛騨産業の百年』には、ミッドウェー海戦後に、戦闘機「疾風」の機体木造化の命令が来て、軍需工場の総合木工企業体「高山航空工業（株）」が設立された話が出てくる。そのために若手 17 名が立川飛行機に派遣され、部品 12 機分まで揃えた段階で敗戦を迎えた話が登場する。また実際に木製補助燃料タンクがつくられ立川飛行機に納品されたという。

関（1993）が後に武蔵野市・三鷹市について「工業技術という側面では、中島飛行機が残した遺産は大きく、かなり世代は上がっているとはいえ、機械加工、熱処理等の機械金属工業における基礎的汎用技術において際だった技能を保有している職人が周辺に散らばっていることに注意が必要である。（中略）航空機産業は終戦により壊滅し、軍需工業都市が消え去る中で多くの技術者、職人は広く分散し、そして、武蔵野・三鷹地区は東京を代表するイメージの良い郊外都市として大きく衣替えを進めていったのである。」という記述は、確かに職人的技術の連続性の重要性を指摘していると言えるだろう[22]。だが、現代のものづくりにおける、量産時の工程管理や分業構造のデザインで、中島飛行機のケースがどの程度参考になるかは、判然としない。軍需なので、民需への卸・流通機能も欠いていた。中島飛行機などの軍需企業を、多摩地域の工業化へのインパクトと考えることは、正しい着眼であるが、その意義の解釈にはより慎重な検討が必要であろう。

第5節

多摩地域と京浜工業地帯との関係強化

多摩地域は軍需産業の立地により、近代的な機械工業企業が立地した。このような言は、北多摩のエピソードとしてはその通りであろう。それは多摩地域に大きな変貌をもたらすものであった。しかし、この動きは、東京を中心とする広域圏の中で、軍需というインパクトを媒介に、機械工業集積地の京浜工業地帯（城南地区・京浜地区）と、航空機生産に適応できる大規模組立工場の立地可能な北多摩地域が、結び付いたと

いう意味であることを忘れてはならない。そして多摩地域にやってきた工場は租界を形成した。

　同時に、民生品の商品卸はまだまだ東京中心部に立地しており、織物業の集散地は八王子だった。軍需品の購入者は政府であるため、国の財政支出と北多摩地域は強く結び付くこととなる。その構造は城南地区でも同じであった。

　昭和10年代の多摩の工業化は、京浜工業地帯という広域工業圏の多摩への拡大であったと言って差し支えない。

　さらに重要なのは、工場の立地誘導と住宅供給のセット化という開発のパターンを、政府、東京都、住宅営団などが学習したことは非常に大きく、戦後の国土開発の原型となる考え方をここでテストしたとも言える。

　最後に、昭和初期より、北多摩と東京中心部、そして京浜地帯を結ぶ軸が形成されたが、南多摩は起伏がある丘陵地帯で工場立地には適さず、日野五社（吉田時計店・現オリエント時計、六桜社・現コニカミノルタ、日野自動車、富士電機、神鋼電機・現シンフォニア・テクノロジー）、八王子の織物業を除いては、森林・畑地として残された。

　京王電鉄はここを、沿線の新中間層向けハイキングコースとして整備し、記念切符を発行し、近郊観光地とした。多摩村豪農の富澤家当主・富澤政賢が連光寺に聖蹟記念館を誘致し、かつて自由民権運動が華やかだった町田の野津田、小野路といった鶴見川源流域などは東京都の高度成長期の開発予備地として残り続けたのである。

---

[22] 関（1993）p.120

参考文献

市浦健　　　『日本住宅開発史―市浦健遺稿集』井上書院、1984

大河内暁男「中島飛行機とロールスルロイス―戦間・戦中期の技術開発と企業化」大河内暁男・武
　　　　　　田晴人編『企業者活動と企業システム―大企業体制の日英比較史』東京大学出版会、
　　　　　　1993、pp.259-281

大田区郷土博物館『まちがやって来た―大正・昭和　大田区のまちづくり』2015

大本圭野　　『証言日本の住宅政策』日本評論社、1991

桂木洋二　　『歴史のなかの中島飛行機』グランプリ出版、2002

齋藤勉　　　「多摩の源流」『多摩けいざい』多摩中央信用金庫、2000.4、pp.16-17

佐藤達男　　『中島飛行機の技術と経営』日本経済評論社、2016

昭和飛行機工業株式会社『昭和飛行機四十年史』1977

鈴木芳行　　「空都多摩の誕生」、松尾正人編著『近代日本の形成と地域社会―多摩の政治と文化』岩田
　　　　　　書院、2006、pp.321-371

鈴木芳行　　『首都防空網と〈空都〉多摩』吉川弘文館、2012

関満博　　　『現代ハイテク地域産業論』新評論、1993

大霞会　　　『内務省史第 3 巻』原書房、1980

高橋泰隆　　『中島飛行機の研究』日本経済評論社、1988

多摩の交通と都市形成史研究会『多摩　鉄道とまちづくりのあゆみ I』東京市町村自治調査会、古
　　　　　　今書院、1995

多摩百年史研究会編著『多摩百年のあゆみ』（財）東京市町村自治調査会、1993

（財）東京市町村自治調査会『多摩都市計画史』1999

東京地商工貿易組合協会『東京市産業団体要覧第二分冊』東京市産業団体要覧編纂部、1943

東京都機械工具商業協同組合創立五十周年記念事業委員会『創立五十年史』1960

中川良一・水谷総太郎共著『中島飛行機エンジン史』酣燈社、1985

「飛騨」編集室『飛騨産業の百年』飛騨産業株式会社、2021

星野朗　　　「昭和初期における多摩地域の工業化」『駿台史学 105』1998、pp.117-138

和田一夫　　『ものづくりの寓話―フォードからトヨタへ』名古屋大学出版会、2009

少子高齢化社会

多摩地域の意味

中庭 光彦

東京の第二郊外化地域である多摩地域

1946年（昭和21）から1949年（昭和24）にかけて、日本全体の出生者数が一気に上昇した。第一次ベビーブームである。戦争が終結したことも一因であるし、抗生物質の普及により乳児死亡率が減少し、多産多死から、人口転換の第二段階である「多産少死」に移行したこともある。

本章では高度成長期の多摩地域ベッドタウン化を紹介することになるが、まずここで、東京府 − 東京都の1872年（明治5）から2022年（令和4）に至る150年間の東京府 − 東京都人口の推移を見てみよう（図1）。

多摩地域が神奈川県から東京府へ編入された1893年（明治26）には、多摩地域の人口が加わり、1918年（大正7）には第一次世界大戦が始まり、東京に多数の雇用が発生し人口が流入する。1923年（大正12）は

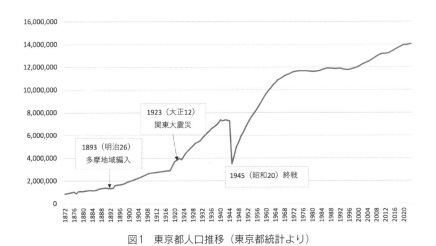

図1　東京都人口推移（東京都統計より）

関東大震災で、一時的に人口が減少する。戦争期間は疎開、出征兵士の死亡、空襲による死亡等で 1945 年（昭和 20）を底に約 349 万人にまで減少する。しかし、朝鮮特需、そして高度成長を背景に、第一次世界大戦後の上昇率を上回る形で人口は増加し、1968 年（昭和 43）で上昇率が鈍化し始める。しばらくは安定しているが、失われた 20 年などと呼ばれた 1990 年代以降で、1998 年（平成 10）から人口が再び増加し始め、1998 年（平成 10）から 2023 年（令和 5）の 25 年間で、約 213 万人が増加している。

　次に、この現象を東京特別区と多摩地域に分けて見るが、その前に、東京府から東京都の区市町村へ、どのように行政区画が変化したのか見てみよう。

表 1　東京都、特別区、多摩地域の主な府市制

現　東京都	現　東京都特別区	現　東京都多摩地域
1871(明治 4) 東京府設置 1893(明治 26)多摩三郡を神奈川県より東京府に移管 1943(昭和 18)東京都制施行	1868(明治 1)江戸府設置(朱引地)、東京府に 1878(明治 11)東京市 15 区設置 1889(明治 22)市制特例の下で東京市誕生 1932(昭和 7)新市域 20 区(荏原郡、豊多摩郡、北豊島郡、南足立郡、南葛飾郡の設けた区)を合併し、35 区の東京市成立(大東京市) 1943(昭和 18)東京都 35 区へ 1947(昭和 22)23 区へ	1889 年(明治 22)檜原村立村、現在に至る。 1917(大正 6)八王子市制開始(以下同様) 1940(昭和 15)立川市、瑞穂町 1947(昭和 22)武蔵野市 1950(昭和 25)三鷹市 1951(昭和 26)青梅市 1954(昭和 29)府中市、昭島市 1955(昭和 30)調布市、五日市町、奥多摩町 1958(昭和 33)町田市、小金井市 1962(昭和 37)小平市 1963(昭和 38)日野市 1964(昭和 39)東村山市、国分寺市 1967(昭和 42)国立市 1970(昭和 45)福生市、狛江市、東大和市、清瀬市、 　　　東久留米市、武蔵村山市 1971(昭和 46)稲城市、多摩市 1972(昭和 47)秋川市 1974(昭和 49)日の出町 1991(平成 3)羽村市 2001(平成 13)西東京市

図2　1943年（昭和18）東京都成立直前の東京府　東京都公文書館HPより

図3　1932年（昭和7）東京市域拡張直前の東京府範囲　　東京都公文書館HPより

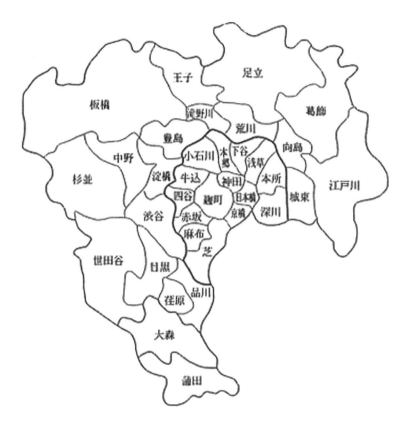

図4　1932年（昭和7）東京市域拡張後35区時代の範囲（太線範囲が旧15区、その外周部は郡に設けられた新20区。計35区で大東京市と呼ばれた。）東京都公文書館HPより

　表1でわかる通り、現在の東京都、前身の東京府の範囲が定まったのは、多摩三郡を神奈川県から東京府に移管した1893年（明治26）。その際の東京府の中心部は、図2に記された、東京市（旧東京市：15区）である。それは図4の中心部太線の内側の範囲でもある。東京市の周囲は五つの郡に囲まれ、その西側に多摩地域の三郡が位置していた。

ところが、大正時代後期、特に1923年（大正12）の関東大震災以降、人口が郊外に拡大し無視できない規模となっていく。そこにも都市インフラを整備しなくてはならない東京市としては、旧15区の隣接外周部の五つの郡に、20区を新たに設け、計35区の東京市が誕生する。これを大東京市と呼び、現在の特別区の原型ができることとなる。新たに加わった外周部の区を「新市域」、旧15区を「旧市域」と呼ぶ。

　そして1942年（昭和17）には都制が始まり、東京府は東京都となる。さらに東京大空襲、他空襲等で焼け残り地区に都民が住んだため周辺地域は人口が増える。GHQは戦災地と非戦災地間の人口・税収・面積の不均衡を修正する新区画設定を東京都に命じた。その結果、1947年（昭和22）に東京23区が誕生し現在に至っている[1]。

　旧市域、新市域、多摩地域の三地域に分けると、東京の人口は現在に至るまでどのような推移を辿るのか。

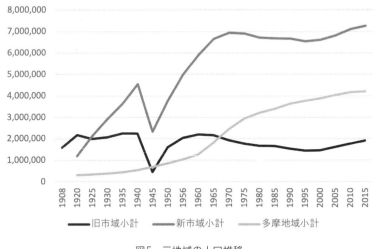

図5　三地域の人口推移

---

[1]　鈴木（2006）P.181

図5から分かる特徴は、旧市域の人口はほぼ200万人を上下し変動幅は終戦時を除き少ない。一方、新市域の人口は第一次世界大戦後の工業化に合わせた形で、終戦時を除き、1970年（昭和45）頃まで増加している点である。2000年代も、新市域と旧市域、即ち特別区が人口増加を示している。2002年（平成14）都市再生特別措置法の容積率等の規制緩和により高層住宅が続々と建てられたことが大きい。多摩地域を見ると、空襲があったとはいえ終戦時の落ち込みは見えず、高度成長期に増加したが、2010年（平成22）には増加率が鈍化している。2020年（令和2）国勢調査による多摩地域人口は428万9,857人である。

　ここからわかるのは、東京の「郊外化」が、大正時代後期から始まっており、それは新市域、すなわち現在の品川区、大田区、目黒区、世田谷区、渋谷区、新宿区、中野区、杉並区、板橋区、豊島区、北区、荒川区、足立区、葛飾区、江戸川区の人口増加を意味していた事実である。これは、関東大震災の他に、前章で見たとおり城南地区・京浜部や墨田区などでの機械・金属等の産業が立地し、雇用が発生していたことも要因と言えるだろう。

　本章で扱うのは、この後、戦後の高度成長期に地方から労働者が東京に移転し、大量の住宅が、新市域や多摩地域に建設され、ベッドタウン化し、不動産や流通産業が発達した多摩地域の姿である。

　このような経緯で「郊外」と呼ばれる多摩地域だが、2000年代以降に人口減少が問題になると、多摩地域の西部は人口減少が目立つようになる。だが、新市域に隣接した多摩地域東部の市の人口は増加していたり、予想よりも減少率が鈍い。多摩地域は、全国レベルでの東京一極集中現象においては、人口を吸収する緩衝地帯となっている。

ディペンデントハウス

　戦争が終わり、軍都と呼ばれた立川や北多摩地域の軍施設ならびに軍需工場は、GHQにより接収された。住宅営団も1946年（昭和21）にGHQに命じられ解散した。軍需工場の工場労働者用住宅を供給していたが、軍需工場で働いていた労働者は行き先を失った。代わりに住宅を求めたのが占領軍だった。

　1945年（昭和20）暮に占領軍は政府に対し、占領軍将兵の宿舎二万戸の建設を命令した。この結果、東京都にも40億円余りの事業が、占領下の最優先事業として命令された。旧軍施設や皇族邸跡地に占領軍宿舎が建設された。これがディペンデントハウス（連合軍家族用住宅）である。主なものとしては、国会議事堂前のリンカーンセンター、閑院宮邸跡のジェファーソン・ハイツ、代々木練兵場跡のワシントン・ハイツ[2]、成増飛行場跡のグラント・ハイツ、国立劇場の場所にあったパレス・ハイツ等がある[3]。これを戦後、復興院が主となりつくった。戦前の軍需工場従業員向け住宅が、戦後は占領軍向け住宅に置き換わった。この住宅建設は、戦後のプレハブ住宅建設の前史を担う役割を担った[4]。さらに木工業者によるインテリア産業にも波及していく[5]。

　ディペンデントハウスの住戸の広さは約26坪（約86㎡）で当時の米国住宅としては広いものではなかったが、日本では住戸12坪（約39.7㎡）以下という制限があり、広さは倍以上であった。その上、家具や家庭電化製品が備えられた。日本の住宅のモデル例を提供する意図がGHQにはあった。電気冷蔵庫、電気扇風機、電気温水器、電気ストーブ、電気レンジ、アイロン、電気掃除機、電気洗濯機、トースター、バーナーホッ

トプレート、パーコレーター、電気炊飯器、コーヒーアーンといった設備を、三菱電機、日立製作所、松下電器産業、日本電気、神戸製鋼、東芝、沖電気、その他多数の電機メーカーが供給した[6]。

　後に朝鮮戦争が起き、旧多摩飛行場を接収して拡張した横田基地の米軍住宅が足りなくなり、1951年（昭和26）に福生市の基地外に作られた米軍ハウスも、ディペンデントハウスの流れの一つである。

　戦後の大量住宅供給、住宅産業は、都道府県による公営住宅、日本住宅公団の公団住宅、民間プレハブ住宅メーカーから始まることになるが、大量の人にできるだけ早く住居を提供しようという公営・公団住宅は、「量」を「計画的」に追い求めた。その住宅設計原理は後に述べるように、狭い面積で生活機能を果せる「生活最小限住宅」である。DKやnLDK住宅のような規格型住宅がここから生まれる。そして民間プレハブ住宅メーカーに踏襲されていく。

　しかし、住宅の広さを重視したディペンデントハウスは、戦後住宅のモデルにはならず、日本住宅公団等が主導し、住戸面積は51C型（12坪）を出発規格とし、狭い最小限住宅からモデル化が始まった。一方、

---

[2]　現在の代々木公園にはディペンデントハウスが並び、1964年（昭和39）東京オリンピック時には選手村として使われた。このため、移転した先が府中市、調布市、三鷹市にまたがる調布基地跡地で、ここに集まったディペンデントハウスは「関東村」と呼ばれた。この関東村は1974年（昭和49）に米軍から全面返還され、現在は武蔵野の森公園、東京外国語大学、味の素スタジアムなどが立地している。

[3]　東京百年史編集委員会（1979）pp.57-60

[4]　大本（1991）に収められた、住宅営団に籍を置いていた市浦健の次の証言がある。「市浦：進駐軍が二万戸の住宅をつくれという命令を出して、私はそっちへ行きました。二万戸といっても、日本の住宅の三倍ぐらいの大きさのものです。大本：いつ頃ですか。市浦：終戦直後です。戦災復興院ができたのが20年11月で、私が入ったのもほとんど同時で12月です。その翌年ぐらいまで、日本のプレハブの初期の状態があったんです。戦争中、木製飛行機をつくっていた工場が資材や機械をもっているので、なにかやって儲けようというのでプレハブ住宅をつくった会社がいくつかあって、それを集めて展覧会を二回ばかりやりました。」

[5]　ディペンデントハウスの内装については、小泉・高藪・内田（1999）が詳しい。前章で登場した岐阜県の木工企業の飛騨産業も、戦後はディペンデントハウスから収益を挙げたという。

[6]　小泉・高藪・内田（1999）より

家具製造などのインテリアメーカー等は、ディペンデントハウスを顧客として、家具を出荷することから戦後出発した。インテリアや家電設備に象徴されるアメリカン・ライフスタイル・ドリームとも言える高度成長期の生活スタイルの原型は、ディペンデントハウスが日本に持ちこんだと言えるだろう。

東京に流入する労働者と団地建設

　戦後、地方から職を求めて多くの労働者が首都圏に流入してきた。特に農地改革により自営農になった長男以外の、兄弟姉妹は都市に流入してきた。政府も、こうした人々を工場労働力に変えようという意図があった。そこで問題になったのが住宅問題だった。既に住宅地不足による地価高騰で、京浜工業地帯周辺、特に横浜郊外や鶴見川、そして多摩地域にかけては乱開発が起きていた。

　そこで1955年（昭和30）に特殊法人日本住宅公団が設立された。同潤会、住宅営団の流れに位置する機関である。これに先立ち1951年（昭和26）には公営住宅法が公布され、東京では都営住宅が建設される。また、後の1965年（昭和40）には、地方住宅供給公社法が施行され、東京都住宅供給公社による団地建設も始まる。こうして多摩地域に多数の団地がつくられた。表2は、主要な公団住宅である。

表2　多摩地域における主要な公団団地一覧[7]

入居開始年	所在地	団地名	戸数
1956	三鷹市	牟礼団地	650
1957	武蔵野市	緑町団地	1,019
1958	日野市	多摩平団地	2,792
1958	東村山市	久米川団地	986
1958	西東京市	柳沢団地	512
1958	西東京市	東伏見団地	558
1959	武蔵野市	桜堤団地	1,829
1959	三鷹市	新川団地	921
1959	東久留米市	ひばりヶ丘団地	2,714
1960	府中市	府中グリーンハイツ	696
1962	三鷹市	三鷹台団地	1,151
1962	東久留米市	東久留米団地	2,280
1963	東久留米市	滝山団地	1,060
1965	調布市	神代団地	2,022
1965	小平市	小平団地	1,726
1965	国立市	国立富士見台団地	1,959
1966	府中市	府中日鋼団地	702
1967	昭島市	東中神団地	594
1967	町田市	鶴川団地	1,682
1967	清瀬市	清瀬旭が丘団地	1,820
1968	町田市	町田山崎団地	3,920
1969	日野市	百草団地	2,028
1970	町田市	藤の台団地	2,236
1970	日野市	高幡台団地	1,188
1971	立川市	幸町団地	764
1971	立川市	若葉町団地	1,409
1971	立川市	柏町団地	660
1971	多摩市	多摩ニュータウン諏訪団地	541
1971	多摩市	多摩ニュータウン永山団地	3,032
1972	羽村市	羽村団地	840
1973	東村山市	萩山団地	899
1974	福生市	福生団地	864

---

[7]　金子（2019）p.63 に一部追加

こうした旺盛な住宅供給により、多摩地域各市の人口は大いに増加する。

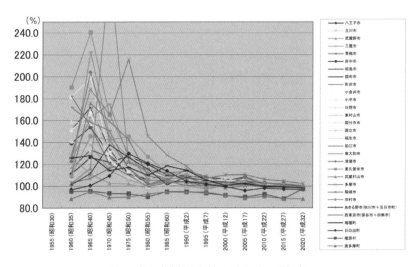

図6　多摩地域各市町村の5年毎人口増加率

　図6を見ると、5年毎人口増加率が最も上昇しているのが、1965年から1970年の武蔵村山市の人口増加率である。294.2%となっており、5年で自市の人口が3倍に増えている。他の自治体でも2倍を超えている所がある。町内に自分の知らない人がどんどん引っ越してきて、5年前の3倍近くに町内人口が増えるという想像をしてもらいたい。これが、団地の建設で起きた。

　このような人口急増現象は、自治体財政にとって衝撃を与えることになる。水道、学校といったインフラは市町村で整備しなければならないが、団地ができると一挙にその負担が増え整備できなくなる。このため、全国で「団地お断り」と主張した自治体も出てきた。

　猛烈な流入人口増加は、それまでの住民（旧住民）と、流入者（新住

民）の差を生み出す。新住民は、保守的な感覚を嫌い、新しい民主的社会を守ろうというホワイトカラーでファミリー層である。この層にいち早く目をつけたのが当時の社会党を中心とする革新勢力だった。東京初の革新都知事となった美濃部亮吉は三多摩格差問題、多摩ニュータウン問題、東京都水道都営一元化問題など、多摩地域の開発格差問題を東京問題と称し、政治の舞台に取りあげた[8]。

　多摩地域の市長にも革新市長が多く誕生し、多摩地域は新住民の「市民」のまちとして注目されるようになる。それは色川大吉氏が自由民権運動を掘り起こした時代と重なり、後に積極的な市民を育てようとした「多摩学」が立ち上げられた、20年以上前の姿であった。

多摩ニュータウン

　多摩ニュータウンはナショナルプロジェクトとして始まった。計画人口32万人の多摩ニュータウンは、京浜工業地帯へ通う住宅の意味合いをもっていた。この計画を1963年（昭和38）に東京都首都整備局長の山田正男は、住宅公団の今野博に計画を依頼している[9]。ここで造成地と

---

[8] 東京都では1967年（昭和42）に東京問題調査会を立ち上げ、ロンドン大学教授のウィリアム・A・ロブソンを招聘し、大都市問題の診断を依頼した。この結果が「ロブソン・レポート」で都市膨張問題、都市計画、港湾、住宅、交通等、の診断と提言がなされている。ここに多摩ニュータウンも独立したテーマとして盛り込まれた。

[9] 日本住宅公団（1981）p.41。山田正男は高度成長期の首都高速道路整備など、東京都都市計画で辣腕をふるい、「山田天皇」と呼ばれるほどの影響力をもった。今野博は後に日本住宅公団理事、都市計画学会会長をつとめる。

して注目されたのが、戦前にはわずかしか手をつけられていなかった多摩丘陵地であった。そして、鶴見川に排水が流れないように分水嶺の尾根の北側で多摩川の右岸を予定地にした。現在の多摩ニュータウンは多摩市、八王子市、町田市、稲城市の4市にまたがり21の住区で構成されている。そして2005年（平成17）に開発は終了した。これだけの範囲のニュータウンであれば、用地買収に十年以上かかっても驚く話ではない。しかし、多摩ニュータウンの場合、地元の名望家でもある地主が、一定の土地をまとめ、住宅公団に持ちこんだ。

　中心的な役割を担った地主の名前は横倉舜三（1923・大正12-2012・平成24）である。横倉は多摩市唐木田の地主で名望家である。諏訪・永山の話を始めたのは1961年（昭和36）と言うが、200人の地権者を3年程でまとめている。彼は、この前に、府中カントリークラブにも土地を売っている。この時の理由として横倉は、「背中に頼る農業から脱却したかった」と話している。「多摩地区は丘陵ですから、畑は傾斜地で田んぼは段々。山では雑木林を切ったり、炭を焼いたり、薪を切ったりと、全部背中に頼っているわけですよ。背中に頼る農業を、近代農業に切り替えていかなければいけない。それには金が要るんです。（中略）ところが、買収の用地代金を農業に使おうとしたんですけれども、『うちでは息子が大学へ行く、オートバイを買う』とか、奥さんは『テレビが欲しい、洗濯機が欲しい』とか、生活の向上には役立ったんですけれども、農業の近代化にはほとんど向けられなかったんです。」と話している[10]。

　多摩ニュータウン開発の問題点は、開発時期が高度成長期で産業構造やライフスタイルが激変する真っ只中で行われたことに起因している。公団も地主側もこれまでの常識で将来を予測した。農を生業としていた人も、生活を楽にするために、より利便性の高い三種の神器を購入し、勤め人になった。農業改良の意図が、サラリーマン生活への道につながった。このような、当初の意図と、意図せざる結果のギャップは、地主だけではなく、開発者側にも起きた。

多摩ニュータウンは、市街地開発に目的を特化した「新住宅市街地開発法」（1965・昭和40）により開発されたため、住宅以外の建物をほとんど建てられなかった[11]。当初の商店計画も、住区のセンターに個店を集めた小商店街を集めればよいと公団は考えていたし、その個店も二階は住居になっており、個店営業者は住民でもあるという家族経営の想定だった。

　ちなみに、スーパーマーケットは揺籃期で、主婦の店ダイエーが創業したのは1957年（昭和32）、西友が創業したのも1956年（昭和31）で、当初のニュータウン計画に直結しなかった。ましてやコンビニエンス・ストアはセブンイレブンが一号店を開店するのが1974年（昭和49）である。小売と消費スタイルの変化に、ニュータウン計画は適応しようがなかった。

　1971年（昭和46）に多摩市に諏訪・永山団地が「まちびらき」したが、最寄り駅は京王線の聖蹟桜ヶ丘で、そこまで住民はバスで通っていた。京王相模原線、小田急相模原線が多摩センターまで延伸するのは京王電鉄が1974年（昭和49）、小田急電鉄が1975年（昭和50）だった。（ちなみに、京王線の橋本までの延伸は1990年・平成2となる）

　受け入れ側の多摩市は、インフラ整備が多摩市の財源では対応できないことから1971年（昭和46）に一時、住宅建設をストップさせた。しかし、東京都による調停が入り、1974年（昭和49）の行財政要綱の制定により、東京都からの支援を受け入れる制度設計を行い、多摩ニュー

---

[10] 細野・中庭（2010）pp.257-258
[11] 後に山田正男は新住法についてこのように語っている。「新住宅市街地開発法というのは、土地収用が利くというのが味噌だったからね。住宅市街地を作るのに収用法が適用できるというのは無茶だよね。原住民がいるんだから。（中略）収用法の権限をとって置いて、土地を買ってから後で、業務市街地ができるよう法律を変えたのか。これは相当悪質だな」。（財団法人東京都新都市建設公社まちづくり支援センター、2001、p.144）。この発言のように新住法は住宅に特化していたし、多摩センター駅前のような業務市街地ができるようにした時は新住法を改正したが、それは1985年（昭和60）のことだった。

タウン工事は再開された。以後、八王子、その後、稲城地区が開発され、2005年（平成17）に工事は未完のまま終了する。2023年（令和5）現在は、約20万人が居住している。

　一般的に、人々の居住選択は、雇用場所により決まる。勤め場所を決め、そこから通える場所で条件に合った住宅を選択するのが居住地選択の基本的な論理である。ところが、多摩ニュータウン開発時である昭和30-40年代の日本住宅公団の開発思想は逆であった。大規模な労働力人口が集まれば、その労働力を求めて、企業が立地してくると考えられていた。労働力立地論である[12]。多摩ニュータウンは、職住近接住宅も目指していたが、その論理の順番は、ニュータウンに人口が集まれば、その労働力を求めて企業が立地し、一定の産業立地も生まれ、そこに人が通い、職住近接のニュータウンになるというものだった。だが、実際にはそうならず、純然たるベッドタウンが生まれ、雇用のある東京特別区や京浜地帯に向け通勤ラッシュが生じることとなる[13]。

　2000年代後半、1971年（昭和46）の永山団地の初期入居者に、引っ越してきた理由を尋ねると、「車が入ってこないことが安心」「上から、子供が遊んでいる姿が見えて安心」という回答が複数返ってきた。この言葉通り、ニュータウン内は車道と歩道が区別され、立体に交差されている。この歩車分離方式は、1970年頃「自動車戦争」と呼ばれたような

---

[12] 細野・中庭（2010）p.165

[13] 前述の「ロブソン・レポート」（1969・昭和44）では、「私の意見では、多摩ニュータウン計画は、当初の発想において根本的に誤りであった。通勤者のための住居都市として計画されるべきではなかったと思う。衛星都市とみた場合には、都心部からの距離は十分の遠さをもっていないし、妥当な短距離の通勤も可能にしない位置にある。いずれの観点からみても不満足なものである。多摩ニュータウン内の土地の価格が比較的高いことを考えると、工業企業者たちが多摩ニュータウン内の土地に魅力を感じることは、あまり考えられれない。」と記している（東京都企画調整局・1969、p.16）。この記述は、半世紀を経た現在読んでも、的確な指摘と言える。

[14] 都市再生機構（2006）では「当時、自動車交通は、バス交通を含め谷戸部の幹線道路を通行すると想定していた。住区内から鉄道駅までの交通が色々なルートに発生することは想定していなかったこともあり、住区内道路でクランクが多用された。その結果、駅と住区を結ぶ道路を今日的な視点から見れば、分り易さ、アプローチのしやすさという点に難を残した」と記している（p.45）。

交通事故・自動車公害が問題化されていた時にはメリットであった。しかし、現在でもニュータウン内には駐車場が極めて少ないため、後年、急速な高齢化が叫ばれると、高齢者の移動には負担となった。また、車道と歩道の間の階段が負担となり、ユニバーサルな環境でないことが問題されるようにもなった[14]。さらに多くの方が、入居した30歳代は夢の住居だったが、80歳を超えると階段昇降が大変になることなど予想していなかった旨を証言している。

　モータリゼーションを計画に組み入れなかったニュータウンは、後に、移動が制約され、私鉄が開発した郊外住宅地と一線を画すようになる。

生活最小限住宅とアメリカン・ライフスタイルの結合

　「ベッドタウン多摩地域」は、現在でも郊外論のキャッチフレーズとして使われている。しかし、意外と触れられていないのが、住宅産業や流通・サービス産業への波及効果である。

　ニュータウンに限らず、日本住宅公団は住宅金融公庫と共に、ハウジングメーカーを養成した側面がある。昭和30年代当初、住宅公団の課題の一つは、「最小限の土地面積で最大の戸数をいかにしてつくるか、そのために最も機能的な間取り・キッチン等はどのようなものか」という点にあった。この課題は大正時代の震災復興期の同潤会住宅から受け継がれている。戦後復興期でも、建築学会では、「生活最小限住宅」、「住宅量産化」といったテーマが注目を浴びていた。大量の住宅不足を解消す

るための住宅供給を行うために、必要な生活機能を満たした最小限の住宅の形態について行われた議論である。質よりもまずは量を早急に充足させたい。しかし、まだ住宅メーカーが成立していない。そこで日本住宅公団が、標準設計を行い、施工管理までのモデルをつくることになる。

　この文脈で生まれてきたのが、現在も間取りの表現として使われるnDKである。高度成長期直前の1951年（昭和26）、台所と食事室を合わせたDK（ダイニングキッチン）の原型となる新しい提案がなされた。51C型として有名になったもので、建築家の鈴木成文（1927-2010）が設計した[15]。この型は、狭い面積の下、親子の寝室として2部屋を確保した上で、食寝分離（建築学者西山卯三が提唱した概念で、食事をする場所と寝る場所の分離）を実現するために、台所兼食事室を設けていた。この間取りは、1955年（昭和30）に発足した住宅公団に採用されることで普及する。

　また、現在のハウジングメーカーで見られるシステムキッチンの原型も、この時期に生み出されている。現在のダイニングキッチン（DK）の原型である。この設計は、建築家の浜口ミホ（1915-1988）が住宅公団の求めに応じて行った[16]。夫婦と子供二人の最小限空間で、キッチンのテーブルで団らんをとる姿は、ディペンデントハウスの豊かで広い部屋とも異なるし、台所から座敷まで主婦が料理をつくって運ぶという封建的な姿とも異なる。非常に新しいライフスタイルを体現した空間として人気を博し受け入れられていった。

　北川（2002）によると、このDKにはいくつかのモデルがあるが、その一つは第一次世界大戦後のドイツの復興住宅でつくられたフランクフルト型厨房である。西山卯三（1947）にも挿絵が描かれている（図7）。

　1923年（大正12）の絵であるが、このフランクフルト型厨房は、復興住宅で用いられたことからもわかる通り、一時的な住まいとしてつくられたものだった。一時的という言葉の通り、浜口ミホにしろ、DKを採用した日本住宅公団にしろ、最小限住宅が、長期間使われることにな

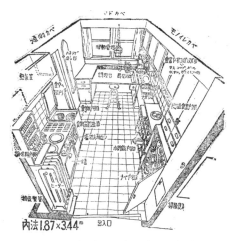

図7　フランクフルト型厨房（1923）　西山（1947）p.204

ろうとは思わなかっただろう。

　この図を書いた西山卯三は、住み方調査を行い食寝分離のルールを導き出し、同潤会住宅の設計にも関わっていた。次頁の図8は、その同潤会の台所の絵である。

　流し台は人研ぎ石で、棚は狭く、作業台は無い。しかも、当時はガスがまだ無いため、「カマド」で、出入り口の床下には「マキ入」の文字が見える[17]。これに類する炊事場は、同潤会住宅だけではなく、民間アパートでも非常に多かった。

　そこに、公団住宅のDKが現れた。流しはステンレス製で輝きを放っ

---

[15] 鈴木（1988）pp.29-34

[16] 北川（2002）。浜口ミホは日本で最初の女性建築家として有名で、北川は浜口からも聞き取りを行っている。浜口ミホの夫は浜口隆一（1916-1995）で東京大学生産技術研究所助教授を経て、評論家として住宅工業化を見据えた発言を行っていく。

[17] 都市ガスが各家庭に入るのは地域差があるが1960年代で、この10年間に台所の火は薪からガスに転換した。燃料革命とも言われる。

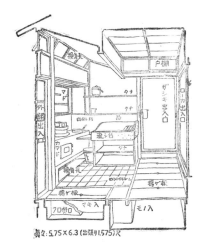

図8　同潤会住宅の炊事場（昭和16）　西山（1947）p.203

ていた。この差は一目瞭然だった。

　公団住宅が提供したDK方式は、最小限住宅の理想型として人気を博していく。但し、ディペンデントハウスと異なり、住戸面積は狭かった。そして、このモデルは勃興しつつあった住宅産業にも取り入れられていく。

　こうして戦後住宅は、食寝分離に始まり、後には住戸面積も拡大し、子供部屋の確立、リビングルームの確立へと進化したが、nLDKフォーマットに部屋数が増えるだけで、住宅メーカーによる規格化が進んでいることは否めない。現在では、夫婦と子供がそれぞれ個室を持ち、食事室、居間を中心とした家族が集まれる共用部屋を設けることが新しい住宅のイメージとして定着した[18]。

　しかし、公団が当初用意した51C型も、所得に応じて、集合住宅から広い庭付き一戸建て住宅へ一生の間に住み替えられていく「住宅双六」が前提と考えられていた。

　公団は、ステンレス流し台の大量生産に踏み切り、椅子やテーブルの

導入を進めることで、ダイニングキッチンを住まいの近代化の象徴へと押し上げた。これと並行して、サラリーマン住宅は完全に生産行為と切り離され、家の中心は主人ではなく、主婦と子供となっていく。そして、当時始まっていた受験競争を背景に、子ども部屋も登場する。

　DK空間に三種の神器が収まり、冷蔵庫が収まる。そして1965年（昭和40）には流通業界向けに生鮮食品の低温流通を進めようという「コールドチェーン勧告」が出され、スーパー経由で冷蔵・冷凍食品が住宅に入ってくるようになる。ここで、食生活・ライフスタイルが変化する。

　多摩地域発の大きな変化として特筆すべきは、ファミリーレストラン、通称ファミレスが多摩地域で生まれたことだろう。「すかいらーく」創業者の横川端、茅野亮、横川竟、横川紀夫の兄弟は1962年（昭和37）にひばりヶ丘団地（田無市、現在西東京市）で「ことぶき食品」という乾物屋を開店する。ベッドタウン住民を顧客にすえたのだ。そしてチェーンストアではなく、新しい業態を求め、ペガサスクラブのアメリカ視察セミナーに参加する[19]。そこでアメリカの流通を目の当たりにする。横川

---

[18] 内閣府（1995）。また、51Cを提案した鈴木成文は、上野千鶴子との議論の中で「現代の家族がプライバシー大事さから閉鎖している。上野社会学によると、家族の絆であったセックスが外部化し、次いで介護・ケアが家族の絆かと思ったらそれすら外部化して、近代家族は今や終焉を迎えたのだそうである。これが現実の状況、人々の本音だといっても、本音に従ってさえいればいいわけではなかろう。社会がどのような方向へ流れていくのか、その方向が望ましい姿なのかどうか、それを真剣に考えなくてはいけない。あるべき姿、目標像を立て、それに向かって住み手を引っ張り、誘導していかなくてはならない。それが51Cをつくった理念であり、建築計画というものである。」と述べている（鈴木・上野・山本・布野・五十嵐・山本・2004、p.37）。理念を大事にしろという建築家の矜持ともとれるし、計画や誘導そのものの限界を示しているとも読めるし、建築により短期的な目標は実現できるという楽観的な姿勢も読み取れる。様々な解釈を行うことが重要だろう。また、この空間やコミュニティによる家族変化への影響に関わる問題は、現在も真剣に取り組まれる問題ではないだろうか。

[19] 読売新聞記者から商業コンサルタントとして独立し日本リテイリングセンターを設立する渥美俊一（1926-2010）が、1962年（昭和37）に設立した勉強会が「ペガサスクラブ」である。アメリカのチェーンストアの論理を勉強し、米国への現地調査を行っていた。ここには、イトーヨーカドーの伊藤雅俊や現・イオンの岡田卓也など、後のスーパー、外食チェーンの経営者が多数参加していた。（渥美・2007）

兄弟は「まさにカルチャーショックでした。モータリゼーションを背景に、サバーバン立地でのショッピングセンターと、それを取り巻く外食チェーンの隆盛。絶対に日本も遠からずこうなる、と確信した」と述べている[20]。

これを機に彼等は、ファミリーレストラン「スカイラーク」一号店を1970年（昭和45）、国立店として開業した。二号店は国分寺、以後、郊外のロードサイド型店舗に重点を絞った出店戦略をとっていった。この頃、スカイラークでは、三多摩30店構想を打ち上げている[21]。

モータリゼーションを背景としたロードサイド型店舗が、郊外で数を増していった。公団・公営の団地やニュータウンは歩行者中心で、車を遠ざける空間編成を行った。しかし、住民にはスーパーに行くことは不可欠で、生活サービスを供給する流通に車は不可欠となっていた。小売店の考え方が、駅前商店街の時代から、ロードサイドショップ時代に移りつつあり、流通は自動車商圏を広げていった。

nDK方式でダイニングキッチンがついた集合住宅やプレハブ住宅の住民は、子供が2人以上になると、より広く部屋数を充足できる家に住み替えを求めるようになり、住宅の質向上欲求が高くなる。そのような中、家庭における食の外部化も起きるようになっていった。アメリカン・ライフスタイルの日本への普及が多摩地域を初めとした全国郊外地域に本格的には1970年代に始まった。

私鉄による沿線開発ビジネスとショッピングセンター

　昭和 30 年代の国土政策や立地政策担当者は、京浜工業地帯と多摩ニュータウンの関係を意識していた[22]。

　ところで、その京浜工業地帯と南多摩地域の間には、東急電鉄が開発した「多摩田園都市」がある[23]。東急電鉄は、田園調布のまちづくりから始めた開発事業を、会長の五島慶太を筆頭に 1953 年（昭和 28）から再開した。場所は大山街道、現在の国道 246 号線沿いの川崎から横浜市港北区（現都筑区）にまたがる土地で、用地買収を行い、その後溝の口まで延伸されていた田園都市線を長津田、そして中央林間まで伸ばした。東急は 40 万人のベッドタウンを計画していた。延伸工事は 1963 年（昭和 38）に始まり 1966 年（昭和 41）に長津田まで開通した[24]。

　昭和 40 年代には、多摩田園都市に続々と住宅が建設されていった。多摩田園都市は車と鉄道が一体となった住宅地で、渋谷からの距離も近く、東名高速や第三京浜国道といった幹線道路とも近かった。

---

[20] 「外食産業を創った人びと」編集委員会（2005）p.23

[21] 「外食産業を創った人びと」編集委員会（2005）pp.19-29

[22] 首都圏整備法が 1956 年（昭和 31）、国民所得倍増計画・太平洋ベルト構想が 1960 年（昭和 35）、工業適正配置法が 1961 年（昭和 36）、これを受けて全国総合開発計画が 1962 年（昭和 37）と開発政策が続く。京浜工業地帯は太平洋ベルト地帯構想に含まれ、大規模投資が行われていく。多摩ニュータウンは、そこへの労働者の住宅地という位置づけもあった。（細野・中庭、p.124-127）

[23] その奥には、横浜市六大事業の一つとして開発された港北ニュータウンがある。港北ニュータウンは、大阪の千里ニュータウン、東京の多摩ニュータウン、名古屋の高蔵寺ニュータウンと共に四大ニュータウンと当時呼ばれたが、ここでは詳述しない。

[24] 東京急行電鉄株式会社田園都市事業部（1988）

この多摩田園都市への東京からの入り口でもある世田谷区二子玉川に、日本で初めて車を中心とした郊外ショッピングセンターが生まれることになる。玉川高島屋SCである。これを成功に導いた倉橋良雄（1984）は、二子玉川に注目した理由について次のように記している。

　「鉄道交通時代の東京の入口は六郷で、その上を東海道線が通り、国道一号線が通って、その延長線の銀座通りが商業の中心である。しかし、自動車交通時代になってそれが大きく変わり、東名高速道路と第三京浜国道が二子玉川付近を通る。それから国道246号線の改修が始まっているし、田園都市開発とのからみで田園都市線（旧大井町線の延長）も整備されている。となると、東京の入口は二子玉川、第三京浜の入口あたりにある。そうなると、246号線をずっと伸ばした青山通りは、銀座にとって代わるとまでいかなくても、少なくとも銀座と並ぶ商業地になるだろう。そう考えれば青山と結んでいる新玉川線（地下鉄）の通る二子玉川は、商業立地として非常に恵まれることになり、手の打ち方によっては副々都心になる可能性があるとおもうとのことだった」と、都市政策学者の磯村栄一から言われた話を著書に記している[25]。

　このショッピングセンター構想が発表されたのは1967年（昭和42）のことで、多摩ニュータウンの都市計画決定がなされた1965年（昭和40）の2年後のことである。商圏設定から駐車場規模設定などを経て、建設開始し、オープンしたのは1969年（昭和44）である。

　多摩ニュータウンとこのショッピングセンターを同列に語ることは、無論できない。ただ、当時の日本住宅公団と東京都はもっぱら「大量住宅供給」という観点を重視して土地造成を行い住宅・道路だけを造っていた。最寄りの鉄道も開通しておらず、ましてや車によるショッピングセンターといったサービス拠点を設ける発想は無かった。取りあえず、

---

[25] 倉橋（1984）pp.27-28

従来の最寄品中心の個店を商店街のように並べておけば住区の拠点になるという論理であった。

モータリゼーションについて、公団・東京都は否定的な立場をとっていた。当時の記録を見ても、東京は車による大気汚染・交通事故の増加で、車は厄介者扱いされていた。このため、歩車分離の住宅は居住条件として非常に良いという計画思想になるし、住民にとっては安全な居住思想として受容された。そして、計画通りに近くに企業が立地すれば、職住近接が実現するという見込みであった。

ところが、同じ東京の世田谷区二子玉川では、車と鉄道によるショッピングセンターを多摩ニュータウンのまちびらきより前に開店させている。ここではアメリカの流通事情を調査した上で、今後の消費者の消費行動スタイルを意識した発想だった。それは東急の多摩田園都市開発と相乗効果をもたらすと思われた。高島屋と東急は協力して二子玉川を拠点施設に衣替えしていった。住宅供給だけではなく、生活の質・ライフスタイルの提供に高島屋は先駆例をつくった。その背景には東急多摩田園都市開発があった。東急電鉄にとっても、新たなライフスタイルを提供する拠点が造られると、それが東急線全体の沿線価値向上につながるのである。

この後、自動車客向けショッピングセンターは、大型ショッピングモールとして、郊外、全国に広がっていき、現在では地方の都市郊外の開発パターンとして定着している。

一方、商業戦略なき大型住宅地は、住宅の島としてはできあがったが、住民の利便性は低下していく。東京中心部により近い場所に新しく安い賃貸住宅が供給されるようになると、居住者はそちらを選択するようになる。

人口ボーナス退出後の多摩地域

1990 年代後半から、多摩地域の急速な高齢化が問題の俎上に上がり始めた。多摩地域の高齢化の問題は、全国に比べれば老年人口比率、いわゆる高齢化率はまだ高いとはいえなかった。ただ、問題は、高齢化の高さよりは、その早さだった。第一次ベビーブームの人口ボリュームが大きいため、スピードは早くなる。

高齢化する程、経済的に転出余力のある高齢者は利便性の高い地域へ移っていく。それは東京特別区の郊外、大東京市時代の新市域や特別区に近い市であった。

その後、2014 年（平成 26）より地方創生政策が始まる。少子高齢化対策を、自治体レベルで立案・事業実施させ、重要成果指標（KPI）による評価を毎年行わせるものだった。この自治体間の人口減少緩和競争は何をもたらしたのか。

国ではなく自治体レベルの政策は、結果として自治体間の社会人口の奪い合いを生み、短期的には解決できないが一番重要な出生率の議論はないがしろにされた。その結果現れたのは、駅に隣接したタワーマンションやロードサイドの新設高層マンションで、特別区や多摩地域でも市の中心部に生まれていった。地方でも、中心都市には駅前に高層マンションが作られた。都道府県人口の県庁所在地への人口集中度は高まり、東京の場合は全国を商圏に、東京一極集中がなかなか止まらない。多摩市を例にとると、実は 2022 年（令和 4）までは人口は減ってらず、今後も聖蹟桜ヶ丘の京王電鉄等による開発事業により、2024 年（令和 6）には人口が増えると見込まれる。

表3 令和4年 区市町村別合計特殊出生率の順位（東京都資料より）

（別表）

★東京都全域での順位

順位	区市町村	合計特殊出生率
1	神津島村	1.92
2	八丈町	1.81
3	小笠原村	1.51
4	檜原村	1.48
5	三宅村	1.42
6	大島町	1.38
7	中央区	1.37
8	稲城市	1.28
9	港区	1.27
10	日の出町	1.25
11	昭島市	1.25
12	奥多摩町	1.25
13	日野市	1.24
14	国分寺市	1.23
15	東久留米市	1.23
16	千代田区	1.23
17	羽村市	1.22
18	あきる野市	1.21
19	武蔵村山市	1.21
20	江戸川区	1.20
21	江東区	1.20
22	府中市	1.19
23	東大和市	1.18
24	小平市	1.18
25	荒川区	1.17
26	三鷹市	1.16
27	東村山市	1.16
28	調布市	1.15
29	品川区	1.15
30	清瀬市	1.15
31	立川市	1.14
32	葛飾区	1.14
33	狛江市	1.13
34	町田市	1.13
35	北区	1.13
36	小金井市	1.13
37	新島村	1.12
38	福生市	1.12
39	文京区	1.12
40	武蔵野市	1.11
41	足立区	1.10
42	西東京市	1.10
43	台東区	1.10
44	瑞穂町	1.09
45	大田区	1.09
46	墨田区	1.08
47	八王子市	1.08
48	青梅市	1.08
49	練馬区	1.06
50	渋谷区	1.05
51	世田谷区	1.03
52	国立市	1.01
53	多摩市	1.01
54	板橋区	0.99
55	新宿区	0.97
56	目黒区	0.96
57	杉並区	0.96
58	中野区	0.96
59	豊島区	0.93
60	御蔵島村	0.75
61	利島村	0.45
62	青ヶ島村	－

★区部での順位

順位	区市町村	合計特殊出生率
1	中央区	1.37
2	港区	1.27
3	千代田区	1.23
4	江戸川区	1.20
5	江東区	1.20
6	荒川区	1.17
7	品川区	1.15
8	葛飾区	1.14
9	北区	1.13
10	文京区	1.12
11	足立区	1.10
12	台東区	1.10
13	大田区	1.09
14	墨田区	1.08
15	練馬区	1.06
16	渋谷区	1.05
17	世田谷区	1.03
18	板橋区	0.99
19	新宿区	0.97
20	目黒区	0.96
21	杉並区	0.96
22	中野区	0.96
23	豊島区	0.93

★市部での順位

順位	区市町村	合計特殊出生率
1	稲城市	1.28
2	昭島市	1.25
3	日野市	1.24
4	国分寺市	1.23
5	東久留米市	1.23
6	羽村市	1.22
7	あきる野市	1.21
8	武蔵村山市	1.21
9	府中市	1.19
10	東大和市	1.18
11	小平市	1.18
12	三鷹市	1.16
13	東村山市	1.16
14	調布市	1.15
15	清瀬市	1.15
16	立川市	1.14
17	狛江市	1.13
18	町田市	1.13
19	小金井市	1.13
20	福生市	1.12
21	武蔵野市	1.11
22	西東京市	1.10
23	八王子市	1.08
24	青梅市	1.08
25	国立市	1.01
26	多摩市	1.01

★町村部での順位

順位	区市町村	合計特殊出生率
1	神津島村	1.92
2	八丈町	1.81
3	小笠原村	1.51
4	檜原村	1.48
5	三宅村	1.42
6	大島町	1.38
7	日の出町	1.25
8	奥多摩町	1.25
9	新島村	1.12
10	瑞穂町	1.09
11	御蔵島村	0.75
12	利島村	0.45
13	青ヶ島村	－

★郡部での順位

順位	区市町村	合計特殊出生率
1	檜原村	1.48
2	日の出町	1.25
3	奥多摩町	1.25
4	瑞穂町	1.09

★島部での順位

順位	区市町村	合計特殊出生率
1	神津島村	1.92
2	八丈町	1.81
3	小笠原村	1.51
4	三宅村	1.42
5	大島町	1.38
6	新島村	1.12
7	御蔵島村	0.75
8	利島村	0.45
9	青ヶ島村	－

★区市町村別の合計特殊出生率

区　分	合計特殊出生率
東京都全域	1.08
区　部	1.09
市　部	1.15
郡　部	1.15
島　部	1.45

注：区市町村別順位については、同率であった場合、表示桁数以下の数値により順位を付している。

表3は東京都の区市町村別合計特殊出生率順位である。人口置換水準出生率が 2.07、政府の希望合計特殊出生率は 1.08 である。しかし、現状の合計特殊出生率は、区部で 1.04、市部で 1.12 となっており多くの区市は遠く及ばない。台東区、渋谷区、世田谷区、青梅市、多摩市、瑞穂町、杉並区、豊島区、新宿区、中野区、板橋区（島嶼部を除く）は 1 を割っている。

　この合計特殊出生率は、国立社会人口問題研究所による 2023 年の人口推計の低位推計の前提となる合計特殊出生率 1.13 よりも低い。この低位推計では、国全体としては 2070 年（令和 52）には 8,024 万人の人口となり、生産年齢人口比率は 50.9％まで低下する[26]。その場合、老年人口比率は 42％で、年少人口比率は 7.1％しかいない。人口規模は昭和 20 年代の水準だが、その 4 割が高齢者という異なる人口構造となる。既に、女性労働力参加率上昇は、合計特殊出生率にマイナスに働くことがわかってきている（国によりマイナス効果の強弱がある）[27]。そして、2021 年時点で、共働き世帯は 1,177 万世帯、専業主婦世帯は 458 万人と、労働市場における男女の差はなくなり、喫緊の問題は、欧米並みの正規雇用・非正規雇用の格差解消と、仕事と子育ての両立支援により女性就業率が子育て時に下がる M 字カーブを無くすことに移っており、待ったなしである[28]。さらに、婚姻者の完結出生児数は全国レベルで 1.9 近傍であることを見ても、子育て支援や、仕事と子育ての両立支援がストレートに出生児数増加には結びつかない。婚姻のハードルを下げたり、子どもを公共財と見なし婚姻・出産・子育て・仕事の性別役割分業を無くし、所得上昇の方策が必要とされる。

　国レベルで見れば、今後合計特殊出生率を上昇させる方策は非常に難しいことは当然で、人口置換水準ではなく、静止人口に向けた社会をつくらねばならないことも世界的な共通認識になりつつある。

　多摩地域では、高所得者向けの都市再開発が成立する地区では、高層マンションが建てられ、人口が増えた。転入者の吸引も見込むことがで

き、出生率が上昇する可能性もある。しかし、再開発利益が見込めないために、建て替えできない場所は取り残されていく。

道路への投資やロードサイド用地の土地利用変更により、再開発を誘導することが選択肢の一つとして見込まれるが、行政の動きは早くはない。

空き家問題も、特別区ほど深刻ではないが、今後残されていくだろう。

そのような中、戦前創設の立川飛行機は、戦後立飛と名前を変え、製造業や倉庫業を経て、2015 年（平成 27）には地主としてららぽーとを開店させている。昭島市の昭和飛行機工業（株）は輸送機器製造を続ける傍ら、デベロッパーとして商業施設モリタウンやホテル事業を行っている。こうした不動産事業が成立するのは、東京一極集中の中で、二次的な拠点が立川や町田に形成されていることを示すものだろう。

東京一極集中は依然として続いている。しかし、多摩地域は、生活最小限住宅とアメリカン・ライフスタイルの結合以降、特別区と比べると変化が遅い。東京を中心とした緩衝地帯としての周縁部の道を辿っている。中心部と隣接し、中心部の恵みを受けている開発地と、少子高齢化が早い衰退地の両方を多摩地域は抱えている。しかも、行政は中心部から離れるリスクを怖れ、中心部とは異なる方向を構築できないジレンマ状況と呼べる状態にある。

さて、現在、私たちは「歴史で考える選択肢」として、どのようなシナリオが考えられるのだろうか。

東京に近づくことがメリットとなる「都市化の時代」が三多摩壮士の時代以降 100 年続いてきた。これからも、その道を、当たり前のように歩むシナリオもあるだろう。

---

[26]「日本の将来推計人口（令和 5 年推計）」
[27] 筒井（2015）p.60
[28]「男女共同参画白書令和 4 年版」

一方、東京から離れることがメリットとなる「逆都市化シナリオ」も考えられる。自然エネルギー・木材利用比率を高め、防災レジリエンスを高める、人口密度のメリハリをつけてコンパクトシティは高密化し効率化する等は、そうした具体例の一つであろう。

　さらには、「イノベーション・シナリオ」もある。イノベーションを見据え、人に投資し、DXによる生産・サービスの自動化、デザイン志向型人材育成、社会的インパクト投資による実効性ある政策推進等で、人口減少分の経済を異なる成長経路に乗せることはできないか。他にも考えられるが、どのシナリオを取るかにより、多摩地域と東京さらには海外との関係は変化してこよう。

　ここに挙げた三つのシナリオの種は、すべて本書で描いた、これまでの多摩地域の歴史に埋め込まれている。千人同心の異文化理解、三多摩壮士の東京との距離の取り方、軍需工場の技術経営の経験、外部からの人口流入とサービス分野で生まれたイノベーション……多摩地域を振り返ることは、資源としての記憶を再解釈・リフレーミングすることである。

　多摩地域、そして全国の郊外を、私たちはどのような時代認識で捉え、どのような方法で静止人口に向けた社会をつくるか。そこに課題解決の想像力が問われる所であろう。

　一番恐ろしいのは、常識にとらわれ、現在を守るために想像せず、時代認識から逃げ出すことであろう。

参考文献

渥美俊一　『流通革命の真実―日本流通業のルーツがここにある』ダイヤモンド社、2007

大本圭野　『証言　日本の住宅政策』日本評論社、1991

「外食産業を創った人びと」編集委員会『外食産業を創った人びと―時代に先駆けた 19 人』商業界、2005

金子淳　「多摩地域における団地の成立とその社会的背景」『多摩のあゆみ 173』たましん地域文化財団、2019、pp.56-69

北川圭子　『ダイニング・キッチンはこうして誕生した』技報堂出版、2002

倉橋良雄　『ザ・ショッピングセンター―玉川高島屋 SC の 20 年』東京経済新報社、1984

小泉和子、高薮昭、内田青蔵『占領軍住宅の記録（上）（下）』住まいの図書館出版局、1999

鈴木成文　『鈴木成文住居論集　住まいの計画住まいの文化』彰国社、1988

鈴木成文、上野千鶴子、山本理顕、布野修司、五十嵐太郎、山本喜美恵『「51C」家族を容れるハコの戦後と現在』平凡社、2004

鈴木理生　『江戸・東京の地名と地理』日本実業出版社、2006

筒井淳也　『仕事と家族―日本はなぜ働きづらく、産みにくいのか』中央公論新社、2015

東京急行電鉄株式会社田園都市事業部『多摩田園都市―開発 35 年の記録』東京急行電鉄、1988

財団法人東京都新都市建設公社まちづくり支援センター『東京の都市計画に携わって―元東京都首都整備局長・山田正男氏に聞く』2001

東京百年史研究会編著『多摩百年のあゆみ』（財）東京市町村自治調査会、1993

東京百年史編集委員会『東京百年史第六巻』東京都、1979

独立行政法人都市再生機構『多摩ニュータウン事業誌　通史編』2006

内閣府　『国民生活白書』1995

西山夘三　『これからのすまい』相模書房、1947

日本住宅公団 20 年史刊行委員会『日本住宅公団史』日本住宅公団、1981

細野助博・中庭光彦編著『オーラル・ヒストリー　多摩ニュータウン』中央大学出版部、2010

ロブソン　『東京都政に関する報告書』東京市政調査会、1968

ロブソン　『東京都政に関する第 2 次報告書』東京都企画調整局、1969

西多摩における
人と自然

6

松本　祐一

西多摩地域の概況

　新型コロナウイルス感染症の感染拡大が続く 2020 年（令和 2）の夏、奥多摩町の観光スポット日原鍾乳洞には 8 月 8〜16 日の 9 日間平均で 1 日当たり約 2,000 人が訪れた。この地につながる一本道の日原街道は渋滞し、運転に不慣れなレンタカーが立ち往生して警察が出動したり、医療や福祉関連の車両が日原地区に入れなかったりする事態が発生した。例年、盆休みが過ぎれば観光客の数も落ち着くはずが、17 日以降も来場者数が減らなかったため、鍾乳洞を運営する「日原保勝会」は入場制限を決行したという[1]。またキャンプ場や河原にはバーベキューを楽しむ人たちが集中し、ごみの放置が大きな問題になった。この時期、奥多摩町には東京都内ナンバーの車があふれ、オーバーツーリズムの状態に陥っていた。

　西多摩の最西端の駅、JR 青梅線の奥多摩駅から JR 新宿駅までは所要時間 2 時間弱、車でも同じくらいであろう。自然を楽しめる場所が首都の至近にあるというのは世界を見渡しても貴重だ。コロナ禍の都市民たちは、いわゆる「三密（密閉・密集・密接）」を避けられるアウトドアに向かった。当時、東京都外への移動が制限されていたため、都内であっても豊かな「緑」がある郊外、西多摩地域に押し寄せ、コロナ禍の行動制限によるストレスを発散した。このように都市民が「慰楽」を求めて郊外に行楽に行くことは今に始まったことではない。本稿では明治の終わりから大正、昭和初期という第 1 次世界大戦、関東大震災、そして第 2 次世界大戦にいたる激動の時代における、約 25 年の人と自然、都市と「緑」、これらに絡む観光の関係に着目する。

西多摩地域の成り立ち

　西多摩という言葉を聞いて何を想起するだろうか。多摩学は「多摩」という言葉で括られる地域に、その地域的特徴を超える意味を見出そうとする試みともいえるが、北多摩、南多摩、西多摩という三多摩と呼ばれる地域の括りのなかで、この地を表現するものは何であろうか。おそらく自然豊かな地域というイメージがあるだろう。また、一方、イナカで交通や買い物が不便、少子化、高齢化が進んでいるというマイナスのイメージもあるだろう。近年であれば台風などの災害のリスクが高いというイメージもあるかもしれない。

　西多摩という行政区画が誕生したのは 1878 年（明治 11）で当時は神奈川県の管轄であった。この多摩郡が、1893 年（明治 26）に東京府の管轄となる。その後、合併等を繰り返し、現在の 4 市 3 町 1 村になるのは 1995 年（平成 7）のことである。江戸時代から明治前期ごろまでの生産活動として山地の多い西多摩地域は、材木や炭の林業、織物工業、石灰の鉱業などを営んできた。また、青梅街道は江戸時代参勤交代で通る道ではなかったが、甲州への近道ということで利用する旅人も多く、宿場町の青梅はにぎわった[2]。1877 年（明治 10）、英国人アーネスト・サトウが青梅を旅したときに、そこで買った傘の部品のほとんどが舶来品であった記録している。また、1879 年（明治 12）、新河岸川の廻漕問屋井下田商店が 2 万 5000 円もの洋糸を青梅に送った記録が残っていて、明治初期の時点で輸入品が西多摩を席巻している様子がうかがえ、西欧化の波がすでにここにも押し寄せていたことがわかる[3]。決して牧歌的なイナカではない。

---

[1]　Weekly news 西の風「コロナ禍異例の夏で西多摩観光地は大混雑　渋滞、駐車場、ごみ…観光課題鮮明に」https://nishi-kaze.com/2020/08/27/5668/、2023 年 11 月 28 日アクセス。

[2]　清水他（2018）、p.801

[3]　安藤・保坂（1995）、p.14

表1　西多摩地域の比較【2020年（令和2）の国勢調査結果より筆者作成】

地域			東京都	特別区部	多摩地域	西多摩地域	青梅市	福生市	羽村市	あきる野市	瑞穂町	日の出町	檜原村	奥多摩町	備考
2020年(令和2)の人口	総数	%	100.00	69.29	30.54	2.70	0.95	0.40	0.39	0.56	0.23	0.12	0.01	0.03	※3段目の比率は「西多摩地域」は対多摩地域比率、各市町村は、対西多摩地域比率
		人	14,047,594	9,733,276	4,289,857	379,043	133,535	56,414	54,326	79,292	31,765	16,958	2,003	4,750	
		%				9.1	36.2	15.4	14.7	21.4	8.8	4.6	0.6	1.4	
2015年(平成27)の人口(組替)		人	13,515,272	9,272,740	4,216,041	390,897	137,381	58,395	55,833	80,954	33,445	17,446	2,209	5,234	
5年間の人口増減数		人	532,322	460,536	73,816	- 11,854	- 3,846	- 1,981	- 1,507	- 1,662	- 1,680	- 488	- 206	- 484	
5年間の人口増減率		%	3.9	5.0	20.5	- 37.3	- 2.8	- 3.4	- 2.7	- 2.1	- 5.0	- 2.8	- 9.3	- 9.2	
15歳未満		%	11.2	10.9	11.8	11.0	10.3	10.1	12.0	12.0	10.9	13.2	6.5	7.1	
15～64歳		%	66.1	67.6	62.7	58.2	57.8	62.9	60.8	57.0	59.0	48.1	40.3	42.1	
65歳以上		%	22.7	21.5	25.5	30.8	31.9	27.0	27.2	31.0	30.1	38.7	53.1	50.8	
面積(参考)		km2	100.0	28.6	52.9	26.1	4.7	0.5	0.5	3.3	0.8	1.3	4.8	10.3	
			2,194	628	1,160	573	103	10	10	73	17	28	105	226	

西多摩地域の課題

　表1で示すように、西多摩地域は、青梅市、福生市、羽村市、あきる野市、瑞穂町、日の出町、檜原村、奥多摩町という4市3町1村を指し、面積は573㎢と東京都面積の26.1％を占める。一方、人口は379,043人で東京全体の2.7％に過ぎない。面積の約8割を森林が占め、西部は秩父多摩甲斐国立公園に指定された自然豊かな地域である。また、東京

の中では少子高齢化が進んだ地域（高齢化率 30.8％）であり、様々な課題が山積している地域でもある。

西多摩地域広域行政圏協議会（2021）によると、2015 年（平成 27）から 2045 年（令和 27）の人口増減率の推計は、西多摩全体で 24.18％のマイナスで、0.68％と微増する東京都全体、、マイナス 16.27％となる全国と比べても高く、特に檜原村や奥多摩町は 6 割以上の減少率という予測だ。高齢化率も、同じ期間の推計で、西多摩全体で 27.9％から 42.1％に増加となっている。このような予測のなか、西多摩の自治体は、自らの権限で収入し得る財源（自主財源比率）が 5 割を下回っており、将来安定的に行政サービスを提供することが困難になる可能性がある[4]。

ただ、西多摩といっても多様である。例えば全体でみれば、西多摩の産業は、製造業の割合が高く、製造品等の出荷額は多摩地域内で最大である[5]。しかし、製造業が多く立地しているのは羽村市や瑞穂町、青梅市の一部である。少なくとも羽村市、瑞穂町、青梅市の東側、福生市も含めた都市部と、青梅市の西側、日の出町、あきる野市、檜原村、奥多摩町といった山側の地域では地域特性はまったく違う。本稿では西多摩のなかでも、山側、特に青梅の西側、奥多摩の地域を対象にしている。

西多摩は、東京という大都市郊外にあるという「多摩」の特性をより強く感じさせる場所である。なぜなら、ここは郊外という都市と自然の境目または融合する場所であり、私たちが都市と自然とどのように付き合うべきかを常に問いかけるからだ。この地域は常に東京という大都市郊外のイナカとして、東京であることの恩恵とそれに伴う痛みを受け取る場所であるとともに、自らも拡大する郊外の最前線として都市と自然のせめぎあいのなかで静かに縮小しつつある。このような西多摩のありようを自然（＝「緑」）との関係性のなかでとらえなおしていこう。

---

4 西多摩地域広域行政圏協議会（2021）、p.12
5 西多摩地域広域行政圏協議会（2021）、p.14

「緑」の歴史と西多摩

現在の都市空間において、「緑」または「緑地」の存在は不可欠のものになっている。都心のオフィスビルにおいてもかならず何かしらの「緑」は設置されており、私たちはそれを当たり前と感じている。1960年代から、今まで「都市の装飾」としての意味合いでしかなかった「緑」の整備が、公害問題の表面化に伴い、環境対策という役割を与えられるようになった。そのために「緑」を確保するための法制度が1970年代に立て続けに成立していく[6]。このように都市の「緑」の意味も時代によって変わっていくのだ[7]。

2つの郊外

都市計画上の「緑」には2種類の二項対立があると指摘される[8]。すなわち「建築地域としての都市」と「非建築地域としての緑地」という対立と「人工的な都市」と「自然」という対立である。建築と非建築という対比は都市計画上のゾーニングの視点であり、「都市」と「自然」という対比には、「都市」や「緑」の機能や価値に注目していることになる。この場合の「緑」の機能には「自然の中で体を動かす（体を鍛える）」「自然の中で遊ぶ」「自然の中で癒される」といった保健、慰楽、休養といった価値を表現している。

一方、西多摩は、都市と自然という対立するものの境界であり、融合する場所でもある。これを郊外という言葉で言い換えれば、西多摩は「住む郊外」と「遊びに行く郊外」という2つの意味を包含している。

人と自然を二元論的な対立からみることは古くからあるが、それを乗り越えようとする試みも多くある[9]。人と自然という二項対立的な関係に、郊外という、都市でも自然でもなく、またはどちらにもあてはまる曖昧な空間が加わることによって、この図式はどう変わるだろうか。

　都市への人の集中は衛生状態を悪化させ、郊外へと逃避する。この逃避は第一義的には郊外への居住として実現するが、居住地の郊外への広がりは結局郊外の都市化を促す。若林（2001）が指摘するように、郊外化とは単純に大都市周辺地域に居住地や通勤圏が拡大していくだけではなく、都市の「豊かさ」や「理想の生活」を表象する記号や言説をまとった「商品」が受け入れられ、より大衆化した形で増殖し、地域の中で再生産されていく過程である。

　郊外化を都市化の連続と拡大と考えれば、「遊びに行く郊外」としての行楽地は、その機能からすると都市における様々なストレスの発散や癒しの場所となる。ところがそのような郊外もいつかは「住む郊外」に飲み込まれていく。したがって、慰楽のための「緑」を求めると、常に郊外の外側に向かっていくことになり、結局はまた別の都市や郊外にぶつかってしまう。しかも都市のストレスから逃れようと郊外の行楽地に向かっても、その行楽といった行為自体が観光という形で「商品化」されているのであれば、結局都市から逃れることはできない。休日に慰楽を求めて行楽地に向かうのに、交通渋滞に巻き込まれ、行楽地で人ごみに

6　真田（2007）。制度として1972年（昭和47）の都市公園等整備緊急措置法、1973年（昭和48）の都市緑地保全法、東京都では東京における自然の保護と回復に関する条例（1972年）など。

7　例えば都市の「緑」といえば「公園」がすぐに思い浮かぶだろう。日本の公園制度は、1873年（明治6）の公園開設に関する太政官第16号をもって始まったが、都市の通風をよくして、汚れた空気の浄化という都市内の衛生状態を改善するものとして考えられていたため、必ずしも樹木を必要としていなかった。真田（2007）p.17

8　真田（2007）は、「緑地」という言葉がどのような文脈で使われているかから、本多静六、上原敬二、北村徳太郎、飯沼一省をとりあげて「緑地」には2つの意味があったと指摘している。

9　例えば、関（1997）。

揉まれ、帰路も渋滞し、慰楽どころではないという現象はまさにこのような都市の過大化は、そのあとも長い間政策的課題として存在し、その防止策としてグリーンベルト構想などが生まれることになる[10]。

東京緑地計画における景園地

　かつて都市の「緑」に関するグランドデザインが存在した。それが1939年（昭和14）に発表された東京緑地計画である。この計画は当時の東京府、神奈川県、埼玉県、千葉県の一部を対象とした広域計画であり、都市計画法に基づく計画でも、その他の法律に基づく計画でもなく、これらの上位計画ともいえるものだった[11]。その策定の主体は、内務省都市計画課を中心に対象となる自治体と警察庁や東京鉄道局で結成された東京緑地計画協議会で1932年（昭和7）に設立された。

　協議会は、発足後、すぐに緑地の定義と分類を行い、いくつかの計画を策定した。そのなかで最初に策定されたのが景園地計画である。景園地とは、「公衆の直接風致鑑賞及野外の保健、慰楽、休養に供する為保護若しくは利用に関し統制及び施設すべき一団の風景地を謂ふ」と「東京緑地計画協議会決定事項集録」に定義されている[12]。行楽のための風景地という意味であり、神奈川、東京、埼玉、千葉の4県に合計37か所の敷地を確保する計画である。景園地は、緑地の分類上、公園を含む「普通緑地」でも、「生産緑地」でもなく、「緑地に準ずるもの」として庭園や保存地と同じジャンルに含まれた。国立公園を含む「自然公園」の区域に直ちに決定できない場合には、景園地として選定しておくと説明されている。景園地を自然公園のような営造物選定のための予備的な場所としてだけでなく、営造物公園を含む広範囲の行楽と保全の対象となる土地をイメージしていた。東京緑地計画には、景園地計画以外にも、環状緑地帯計画、保健道路計画などを含むが、全体として行楽と風景の計

画だったととらえることができる。内務省の技師だった北村徳太郎は著書のなかで、東京緑地計画が公園や公園以外の慰楽の目的を果たす場所の総合的な計画であったことを指摘している[13]。

西多摩では、秋川、御嶽、下奥多摩、上奥多摩、日原に設定された。まさに「遊びに行く郊外」という認定がされたことになるが、ここに至るまでには、先行する国立公園設定の運動があった。

国立公園をめぐる2つの動向

1911年（明治44）は都市の「緑」にとって、そして西多摩にとっても重要な2つの動きがあった。

一つ目は、国立公園設定の請願が初めて帝国議会に提出されたことである。日光と富士山に国立公園を設定しようとする運動であり、明治天皇即位50周年を記念した「日本大博覧会」開催（この年に中止が決定）をにらみ、インバウンド集客と自然の保全を意図したものだった。しかし、国側の答弁は、国立公園の設定は土地の私有権の問題や財政的な問題もあり、調査の段階であるというものにとどまった。

しかし、1916年（大正5）、内閣付属の経済調査会を通じて富士箱根を中心とした国立公園を設定し、観光開発していくことが提案された。ここでのキーパーソンは1919年（大正8）に内務省衛生局の嘱託とな

---

[10] 東京のグリーンベルト構想とは、東京緑地計画の中で、大都市の過大膨張抑制のために現在の23区に相当する東京市の外周に環状緑地帯（グリーンベルト（約962,059ha））を設置する計画である。これは20世紀初頭から1920年代にかけて確立した欧米の地方計画や緑地計画に源流を持ち、特に1924年（大正12）にアムステルダムの国際都市計画会議で提唱された大都市の膨張抑制、グリーンベルトの設置、衛星都市の建設等を内容とする7ヶ条の決議に大きく影響されたものである。

[11] 真田（2007）によれば、東京緑地計画の中には方針だけでなく、具体的な計画図面も存在しており、現在のいわゆるマスタープランと実施計画という関係のなかの上位計画ではなかった。現在のように計画が細分化された時代と違い、都市計画家たちの想いが反映しやすい時代だった。

[12] 真田（2007）、pp.30-33

[13] 真田（2007）、第5章

る造園学者・林学者の田村剛である。田村は 1917 年（大正 6）に富士山北麓の調査を行い、自然保護を強調しつつ観光開発計画を提起し[14]、翌年には『造園概論』を出版、「自然公園」と「国立公園」という用語を使い、一定の観光開発によって自然を保護するという国立公園の「利用論」の骨格となる考え方を示している。同年、田村の師匠である林学者で日本の造園学の開祖と言われる本多静六や弟子の上原敬二が中心となって「日本庭園協会」を結成する。協会の雑誌『庭園』では都市の発達に触れながら市民が郊外に向かっていくことで、郊外の「緑」は自然公園となり、その利用のための整備や保全が重要な課題であることを主張している。田村らの主張は、東京緑地計画における景園地の考え方につながるものだといえる。

　もう一つの動きが、「史蹟名勝天然記念物保存協会」の設立である[15]。1911 年（明治 44）2 月の帝国議会において「史蹟及天然記念物保存二関スル件」の建議案が可決され、同年 11 月には建議案提出関係者が中心となって協会が設立されて活動を開始した。この運動を中心に進めたのは東京帝国大学教授で植物学の権威である三好学や白井光太郎であり、三好はドイツで自然保護運動を見て、日本において資本主義的な開発や近代化のための開発が天然記念物を損傷し、破壊し、消滅させていると指摘し、自然保護運動を展開した[16]。1917 年（大正 6）の内務省の調査に対抗するかのように、この年に富士山北麓の原生林の調査を行っている。1919 年（大正 8）には史蹟名勝天然記念物保存法が成立し、同年 10 月に内務省官房地理課に「史蹟名勝天然記念物調査会」を組織し、各地に「県史蹟名勝天然記念物調査会」を組織し調査と保護活動を行った[17]。

　このように内務省衛生局保健課と本多・田村といった林学者や造園家が中心の「日本庭園協会」ラインの「風景の利用論」と、内務省官房地理課と三好ら植物学者らによる「史蹟名勝天然記念物保存協会」ラインの「風景の保護論」が対立することになる。まさに利用と保護という二項対立の図式が展開されることになる。

村串（2005）が指摘するように、当時の国立公園行政は、一応衛生局保健課が所管とされながらも、国立公園に関心を持つ同じ内務省内の組織どうしが、それぞれやや異なった国立公園観や自然保護観に基づいて、候補地の調査を行うという混乱を生み出していた。

　1921 年（大正 10）2 月、田村は『庭園』にて、国立公園の候補地として 16 か所を挙げた。これは田村の私案であったが、同年に行われた保健衛生調査会の国立公園候補地調査に田村が主任として参加し、この様子が新聞で報道されるとにわかに全国で国立公園設定運動がもりあがっていく。このように、利用派と保護派は、オウンドメディア（協会の雑誌）やマスメディアで自説を主張した[18]。本多静六は「史蹟名勝天然記念物保存協会」の評議員を務めていながら、「日本庭園協会」を設立し、「史蹟名勝天然記念物保存協会」の雑誌『史蹟名勝天然記念物』紙上にて、保護派の主張を批判した。田村も『大阪朝日新聞』で天然記念物と国立公園を峻別し、一方は保護、一方は利用という論調を展開した。保護派の都市公園技師大屋霊城も田村の発表後、すぐに同じ新聞紙上で「反国立公園論」と題して、田村を激しく批判した[19]。また、本多の弟子であり、「日本庭園協会」に属していた上原敬二は、1920 年（大正 9）にアメリカに留学し、1922 年（大正 11）に帰国すると、本多や田村を批判するようになった。利用論は、民衆に対する社会道徳的教育や自然教育を施すことを疎かにしているため、自然を理解しないまま風景地を訪れてしまうことを危惧したのだ。

---

[14] 村串（2005）、第 2 章、2.1.2　大正 5 年以降の国立公園制定運動の蠢動
[15] 史蹟名勝天然記念物保存協会は関東大震災の影響で一時活動は中止、1924 年（大正 13）には調査会管制が廃止、翌年に中心人物だった徳川頼倫が逝去、その後、内務省官房地理課内に設置される。1933 年（昭和 8）には天然記念物保護行政は文部省に移管される。目代（1999）。
[16] 村串（2005）、第 2 章、2.1.1　大正初年代の自然保護運動
[17] 村串（2005）、第 2 章、2.2.1　2 つの国立公園行政
[18] 村串（2005）、第 3 章、3.1.1　開発利用派の主張と自然保護派への批判
[19] 村串（2005）、第 3 章、3.1.2　自然保護派の主張と開発利用派への批判

両派の論争はそれぞれの主張の重なる部分よりも相違部分だけを取り出して議論が進んでいくような恰好となり、それぞれの価値観に固執し歩み寄ることはなかった。この論争は、第1次大戦後の不況や関東大震災の影響を受け、「史蹟名勝天然記念物保存協会」の位置づけが変化し、国立公園行政が最終的には衛生局主導に落ち着き、1927年（昭和2）、「国立公園協会」の設立をもって終結したといえる。協会の陣容をみると、副会長に本多、理事に三好、常務理事に田村、上原の名前があり、両派が統合されているようにみえるが、おそらく田村・本多のラインが主導権を握っていた。このような国による「緑」の方向性が検討されている時期に西多摩でも大きな動きが生まれていた。

大都市郊外における観光の価値
〜奥多摩の誕生

　現在、「奥多摩」と言えば、西多摩の奥多摩町を指すのが一般的であるが、もともと「奥多摩」という地名はなく、この言葉が一つの観光コンセプトとして創造されたものであることはあまり知られていない。この「奥多摩」の誕生は1925年（大正14）であった。この時期は関東大震災の復興から東京という大都市が成長し、郊外という場所の意味が大きく変わろうとしていたところでもあった。この奥多摩の誕生について、梅田（2013・2017）は観光開発の視点から詳細にまとめている。ここでは梅田の著作を中心に、その流れをまとめる。

　郊外の開発において、大きな影響を与えるのが鉄道の開通である。西

多摩の場合、1894年（明治27）、青梅電気鉄道株式会社（以下、青梅鉄道）の立川〜青梅間が開通し、その翌年には日向和田へ延長している。もともと青梅鉄道は石灰の輸送を目的として敷設された鉄道であったが、時代が大正に入ると青梅鉄道の旅客収入が上昇しはじめる。これは御岳山への登山を目的とした行楽客が増えてきたことが大きな要因になっている[20]。このような状況に青梅鉄道は観光開発を積極的に行っていく。専務取締役で、鉄道省出身の富永謙治は1919年（大正8）に牡丹園を開園する。これは大阪の摂津から牡丹100余株を移植し、現在のJR青梅線の石上前駅前に整備した。その牡丹園はその後、「楽々園」と命名され牡丹園だけでなく、様々な施設を増やし、西多摩の初の遊園地として総合アミューズメントパークとなっていく。梅田（2013）は、この「楽々

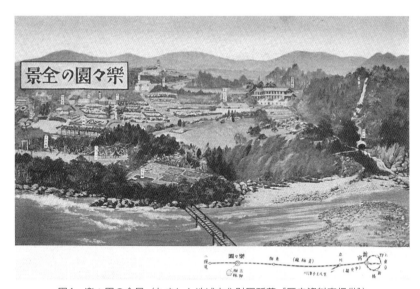

図1　楽々園の全景（たましん地域文化財団所蔵［歴史資料室提供］）

---

[20] 青梅鉄道の営業報告書には1920年（大正9）に「御嶽団体登山激増」のため省線（国鉄）からの直通列車を運転したと記録されている。梅田（2013）。

園」の注目する点として、青梅町以西を「山水美の地」というコンセプトで、ターゲットを都会に住み働く「都人士」の家族に設定し、天然の自然に牡丹園や低価格で利用できる食堂を加えることで誘客しようとしたことをあげた。まさに観光開発である[21]。

　1927年（昭和2）に青梅鉄道は「楽々園」の経営から離れるが、その翌年に本施設前に停留所が開設され、1930年（昭和5）に「ホテル多摩山荘」が開館された。当時のパンフレットや絵葉書（図1）をみると、洋式風のホテル多摩山荘の他にも、別棟には平屋建ての日本座敷があり、「牡丹園」や「大芝生」が広がる。四阿や見晴台のようなものだけでなく、「和洋食堂」、「動物舎」、「大グランド」「砂遊場」「テニスコート」「プール」「子供遊園」などがあり、川下りや鮎漁もできたようだ。何よりもパンフレットに記載されたideal suburban hotel（理想的な郊外型ホテル）というキャッチコピーがこのホテルと一体となったアミューズメントパークのコンセプトを表現している。

コンセプト「奥多摩」の誕生

　一方、青梅鉄道が二俣尾まで延伸された1920年（大正9）、さらなる延長を求めて青梅鉄道延長期成同盟会が組織され、1924年（大正13）には現奥多摩町の小河内村、氷川村、古里村、現青梅市西部の三田村の村長や有力者による延長を求める建議書が青梅鉄道に提出された。このような動きのなかで1925年（大正14）に奥多摩川保勝会が設立される。中島（2006）によると、1932年（昭和7）に実施された「全国観光機関調」には、観光と保護・保全・保勝を目的とした団体のうち、民間保勝運動の担い手と考えられる団体は254団体で、そのうちの7割が1925年（大正14）以降の設立であったことを指摘している。奥多摩川保勝会は、その流れの最初にあった団体といえる。保勝会が目指したのは、多摩川上流地域の研究し、その利用開発を行うことで、風景を観光資源と

して、都市住民の保健に関するニーズを満たす地として売り込み、天然公園（＝自然公園）の指定で、そのブランドを確立しようとする戦略を推進した。これらの戦略を表し、その風景を代表するネーミングが必要となる。これには保勝会の中心人物で青梅鉄道の重役であった指田茂十郎らが、先にも登場した本多静六を訪問し、相談したところ、『奥の細道』から『奥』をとって奥多摩川保勝会としたらどうかという提案があり、そのように名付けられた[22]。ここに「奥多摩」という観光と保全を推進する2つの意味が込められた観光のコンセプトが誕生したことになる。

　保勝会の戦略の一つ「天然公園の設立」は、国立公園指定運動として具体化された。1926年（昭和1）12月、大正から昭和に変ったところで始まった第52回の帝国議会に御嶽山および高尾山を中心とする国立公園設定の請願、翌年2月には「多摩国立公園設定に関する建議案」として提出された。

メディアによるキャンペーン

　1927年（昭和2）は、田村剛が『国立公園実施私案』を発表した年であり、国立公園協会が発足した年でもある。この時期に東京日日新聞・大阪毎日新聞主催で「日本新八景」選定のキャンペーンが行われた。日本を代表する風景を、山岳、渓谷、湖沼などの8つのジャンルに分けてそれぞれ一つ、葉書による投票で選定するという形式で行われた。4月9日の告知から5月20日の締め切りまでの42日間で、当時の日本全国の人口を超える1億に迫る投票を集めた。各地域では「組織票」による投票運動が行われ、全国的な盛り上がりをみせた[23]。この背景には、新聞

---

[21] 梅田（2013）、p.295
[22] 梅田（2013）p.35。
[23] 新田（2010）p.69

紙上で発表された「昭和の新時代を代表すべき新日本の勝景」という言葉が象徴するように、昭和という新時代への期待と、この数年前から高まってきた国立公園設置の動きがあったからであろう。

このキャンペーンは当時の鉄道省が協力しており、選定された地域は、鉄道省で「公認し、種々の方法によって永くこれを紹介す」と誘客を約束するものなっていた[24]。鉄道省は鉄道院から改組した 1920 年（大正 9）から積極的に広報宣伝を行うようになっており、特に大戦後の不況や震災後対応のために、昭和になるころから海水浴やキャンプ、スキーなどの季節の行楽に対し指定区間の割引などを行うことで旅客の増加に成功していた。この流れは先に述べた青梅鉄道が取り組んだことや時期と重なってくる。さらにこの「日本新八景」の選定委員には、「風景の利用論」派である本多と田村が参加していた。新聞紙上にて審査員が内務省の国立公園の調査委員も兼務していることをもったいぶって予告する記事が掲載されており、国立公園設定の流れと連動することでさらに盛り上がりをつくった[25]。このようにこのキャンペーンは政府を巻き込み、新聞記事で喧伝をしながら進んだ。

投票が始まって 1 か月弱で、鉄道大臣の「日本新百景を作るのも妙」という発言が新聞に掲載され、新八景だけでなく、「百景」さらには「二十五勝」を選定することになった。奥多摩は「奥多摩渓谷」としてその対象となったが、新八景には選ばれず、「日本百景」には選定される。なお、「八景」「二十五勝」「百景」133 選定地のなかで東京は、奥多摩渓谷と高尾山のみであった[26]。このキャンペーンによって奥多摩の名前は全国に告知され、これをきっかけに奥多摩への行楽客は激増した。奥多摩はブランドとして定着し、いつのまにか「奥多摩川保勝会」も「奥多摩保勝会」と呼ばれるようになっていく。この年、青梅鉄道は御嶽までの延長を決定し、氷川から雲取山、そして笠取山から大菩薩峠につながる登山コースは「奥多摩アルプス」と名づけられ、宣伝された。青梅から奥多摩地域の観光開発が勢いを増していく象徴的な年となった。

2つの方向転換

　1928年（昭和3）、青梅鉄道が中心となって、奥多摩振興株式会社を設立する[27]。この会社は「楽々園」の経営から離れた青梅鉄道が、御嶽駅を中心とした新たな施設を設置することを目論んで設立したものである。駅近くに展望浴場や料亭など持つホテルを建て、スケート場や釣り堀、ボートなどの施設を整備する計画である。このような観光開発の方向性を象徴する騒動が起こる。「奥多摩ヨササ節」という名所・名物を読み込んだ歌の制作である。奥多摩保勝会は、日本新百景に選定された勢いのまま、さらに行楽客を増やそうとしたのだ。今でいえば、キャンペーンソングといえる。しかし、この歌は芸妓の舞踏を伴うもので、花街的開発による地域活性化という路線にもとづくものだと梅田（2013）は指摘している。実際、この歌がラジオで放送されたことで、「ヨササ節」への不満や保勝会幹部への反発が噴出した。御嶽駅周辺の開発は、そのような流れの中で検討された。実際、射山渓の琴鶴楼や鳩ノ巣の鳩ノ巣閣は、どちらも芸妓を呼ぶ料理屋であった。奥多摩ブームによって、花街的なビジネスを活性化させることを期待した地元有力者がいたことが想像できる。

　ただ、この路線は奥多摩の名付け親である本多静六によって否定されることになる。会社設立総会の直前に、東京府市による郊外公園の実地

---

[24] 新田（2010）p.70

[25] 葉書投票の渓谷部門で1位となったものの八景の選に漏れた天竜峡の地元では、審査の不公正を訴える形で、東京日日新聞の不買運動も起こったという。奥（2000）。

[26] 環境省「日本八景（昭和2年）の選定内容」chrome-extension://efaidnbmnnnibpcajpcglclefindmkaj/https://www.env.go.jp/nature/ari_kata/shiryou/031208-4-3.pdf、2023年11月28日アクセス

[27] 青梅電気鉄道株式会社の関連会社として設立され、1956年（昭和31）、京王帝都電鉄株式会社（現・京王電鉄）の傘下に入り、1963年（昭和38）、西東京バス株式会社に社名変更し、いくつかの合併を経て現在に至る。西東京バス株式会社HP https://www.nisitokyobus.co.jp/company/history.html　2023年12月8日アクセス。

調査が行われ、この時に奥多摩開発計画を聞いた本多が「愚の骨頂」と批判し、大衆向きの遊園地・行楽地の開発をするべきだと釘を刺したという。これによって会社設立直前に計画は根底から覆され、鳩ノ巣のホテル計画は中止となった。これが1つ目の方向転換である。

それでも、梅田も指摘しているように、この会社が花街的な開発だけを目指したわけではなく、「無産階級」や「学生」に目を向け、スポーツの社会化、民衆化に注目していた[28]。その象徴がスケート場の計画である。これは本多や田村が目指した国立公園の保健衛生利用につながる方向性である。1929年（昭和4）には、青梅鉄道が御嶽まで延伸し、この年に御嶽駅至近にキャンプ場が開設、「山の家」も開設された。1931年（昭和6）には青梅鉄道の旅客収入が全体の5割を超えたという。

奥多摩保勝会や奥多摩振興が目指す方向性が、花街的開発だったのか、大衆向けの行楽地開発だったのか、どちらが本音だったのかはわからない。ただ本多の一言で大きく方向転換したことを考えると、当時の本多らの影響力の大きさをあらためて感じるとともに、地元関係者が、本多らの方向性に追随し何としてでも天然公園の指定を達成したいという意図が感じられる。

1927年（昭和2）に田村が発表した「国立公園実施私案」にも、1932年（昭和7）の内務省による12か所の公園候補地発表にも奥多摩の名前はなかった。国立公園行政は、財政難もあり、結局は保護保全が必要な希少な自然を持つ地域に絞られた。おそらくここで奥多摩振興らは国立公園をあきらめ、東京府市による「帝都天然公園」の実現に方針を転換したといえるだろう。これが二つ目の方向転換である。

そして、先に述べたように東京緑地計画協議会が誕生し、奥多摩は景園地計画のなかで自然公園として整備される予定地、都市民の慰楽の場所として位置づけられることになったのだ。もちろん、この後も奥多摩や西多摩の物語は続く。第2次大戦から戦後の復興と高度成長、オイルショックから経済大国への道、そしてバブル崩壊から長く続く低成長の

時代。このような時代の流れのなかで、郊外化はさらに進んだ。私たち
の環境意識も大きく変わり、人と自然の二項対立の克服のあり方も変
わっている。最後に現代に戻って、郊外における人と自然の新たな関係
性をみてみよう。

第**4**節

人と自然の新しい関係に向けて

リバークリーンという新たな取り組み

　みたけレースラフティングクラブ代表の柴田大吾は、世界ラフティン
グ選手権で日本代表選手として総合準優勝、その後、青梅市の御岳に移
住、リバーアクティビティに関する事業を展開している。そのなかで注
目されているのがリバークリーンという活動だ[29]。

　急流が続く御岳渓谷はラフティングやカヌーに適した環境で、"リバー
アクティビティの聖地"として知られており、御岳山でのハイキングな
ど、まさに自然あふれる慰楽の場となっている。

　2019年（令和1）の台風19号の多摩川の氾濫によってごみが蓄積し
たのと、冒頭で述べたコロナ禍で訪れた都市民が放置したごみが川沿い

---

28 梅田（2013）、p.304
29 リバークリーンに関する事例は、以下の記事や柴田氏へのインタビューによる。株式会社グッドラ
　イフ多摩「SDGsを楽しく学びませんか？ 東京の水源を守る多摩川リバークリーンを開催」
　PRTIMES https://prtimes.jp/main/html/rd/p/000000003.000070613.html　2023年12月18日アク
　セス

や川底に散乱し、2020年（令和2）にはそれが目立つようになった。ガイドとして川下りをしていると、否応なしに目に入ってくるごみを、柴田は少しずつ回収しはじめ、毎週月曜日早朝6時からごみ拾いをすることが習慣化する。そのような柴田の行動を見て、ガイド仲間や地域の人が賛同の声を上げ、ごみ拾いの輪が広がっていった。

　そして、この年の10月に「第1回青梅リバークリーンマラソン」を開催する。参加者は3〜4人のチームごとにボートに乗り込み、御岳から河辺までの約15kmを約3時間かけて、川下りをしながらごみを拾い集めた。途中3カ所にグルメスポットが設置され、地元のグルメが振舞われ、最後にチームごとに集めたごみの重量を計測し順位を競った。2022年（令和4）3月開催の第4回大会までで回収した川ごみは合計5.3トンにもなったという。このような取り組みを「リバークリーンラフティング」事業としてツアーも企画し、数多くの企業や学校関連者に利用されている。

　また、柴田が事務局長を務める多摩川川下り事業者組合[30] は、事業者同士の連携だけでなく、自治体と連携して青梅市・奥多摩町の消防署と「急流救助協定」を締結し、水難事故発生時は消防署と連携して救助活動を行うことになっている。さらに、2023年（令和5）、青梅市とあきる野市は、世界的なアウトドアを楽しむための環境倫理プログラムを提唱するNPO法人「Leave No Trace（LNT）Japan」との連携協定を結んだ。コロナ禍以降のアウトドアブームを踏まえて、環境に配慮したアウトドア活動を推進し、地域の観光開発につなげるという意図がある[31]。この2つの協定締結の仕掛け人が柴田であり、これまで積み重ねたリバークリーンの実績が自治体も動かしたのだ。

　このようにリバークリーンというコンセプトを通じて、アウトドア事業者のコミュニティが生まれ、都市民を惹きつける自然保護と慰楽を結びつけた新しい観光事業を生み出した。自治体との連携で自然保護や安全確保の活動ともつながっている。まさにSDGs時代における河川とい

う都市と自然をつなげる境界（＝郊外）の可能性を示すような事例である。

ジレンマに向き合う

ここまで国や東京都の「緑」に関する政策の方向性を、特に国立公園をめぐる流れからとらえ、そのなかで西多摩という郊外における人と自然の関係性をみてきた。人と自然、都市と緑、利用と保護など、二項対立になりがちな関係性を、郊外という二項対立の境界線にあるもののなかで、逃れられないジレンマと折り合いをつけながら、どのように地域開発するのか、激動の明治、大正、昭和初期までの青梅・奥多摩地域の十数年の取り組みを概観した。先人たちは、行き過ぎた開発計画を中止するなどの紆余曲折がありながらも、時代の流れに食いつき自分たちの地域のあり方を常に問いかけ続けたといえる。これらの試みは、二項対立を安易に解消するのではなく、避けがたいジレンマに向き合い、折り合いをつけながら、新たな価値を生み出し乗り越えようとするものであり、そのプロセスそのものに価値があるといえる。自然と人の境界にある西多摩は、まさにその最前線であり、だからこそ昔も今も私たちを魅了するのだ。

---

[30] 流域でラフティング、カヤック、スタンドアップパドルボード（SUP）などのリバーアクティビティを提供する 18 事業者（2022 年 5 月現在）が加盟する団体。
[31] アメリカ発祥の「LNT」は、全ての野外活動でのテクニックが 7 つの原則を基にして、活動時に環境に与えるインパクトを最小限にするための環境倫理プログラムで世界 94 カ国のアウトドアレクリエーションでの行動基準となっている。

参考文献

安藤精一・保坂芳春監修『目で見る西多摩の 100 年』郷土出版社、1995

梅田定宏　「大都市装置としての『帝都天然公園』―奥多摩の開発をめぐって―」鈴木勇一郎・高嶋修一・松本洋幸編著『近代都市の装置と統治―1910～30 年代―』首都圏史叢書⑦、日本経済評論社、2013

梅田定宏　「奥多摩の観光開発」公益財団法人たましん地域文化財団『多摩のあゆみ』第 166 号、ぎょうせい、2017

奥武彦　　『大衆新聞と国民国家―人気投票・慈善・スキャンダル』平凡社選書、2000

国土交通省『平成 12 年建設白書　資料編』国土交通省、2000

清水洋邦・松尾紀子・増田俊一「西多摩地域の地方創生はこうあるべきだ」『中央大学研究所年報』第 50 号、2018、pp.791-816

関礼子　　「「人間中心主義」の自然観再考　二元論批判と空間・時間」『年報社会学論集』1997 巻 10 号 p. 49-60、1997

西多摩地域広域行政圏協議会『西多摩地域広域行政圏計画（令和 3 年度～令和 7 年度)』西多摩地域広域行政圏協議会、2021

新田太郎　「「日本八景」の選定―1920 年代の日本におけるメディア・イベントと観光」『Booklet 18 文化観光　『観光』のリマスタリング』慶應義塾大学アート・センター、pp.69-84、2010

田中俊徳　「自然保護行政から考える新しい政治：舵取り、政策統合、ガバナンス」『季刊　政策・経営研究』三菱 UFJ リサーチ＆コンサルティング 2010 (1)、pp103-111、2010

中島直人　「昭和初期における日本保勝会の活動に関する研究」『都市計画論文集』日本都市計画学会、No.41-3、pp.905-910、2006

真田純子　『都市の緑はどうあるべきか―東京緑地計画の考察から―』技報堂出版、2007

村串 仁三郎『日本の国立公園成立史の研究　開発と自然保護の確執を中心に』kindle 版、法政大学出版局、2005

目代邦康　「「史跡名勝天然記念物」と昭和初期の日本の自然保護活動」『学芸地理』54、pp34-42、1999

若林幹夫「郊外論の地平」『日本都市社会学会年報』2001 巻 19 号 p.39-54、2001

第2部
多摩学の実践

インターゼミ
多摩学班の歩み

7

荻野　博司

14年間の集積

地域社会の探求

　多摩学班は 2009 年（平成 21）の社会工学研究会（インターゼミ）の発足とともに活動を始め、多様な角度から多摩地域についての考察を重ねた。表 1 のとおり、本学が立地する多摩ニュータウン（多摩NT）を対象にした研究が中心となるが、それにとどまらず地域社会が抱える諸課題への対応策を考え、大学や学生が果たせる役割を論じてきた。

表1　各年度の多摩学班のテーマと参加者数

年度	論文タイトル	ゼミ生	教員
2009	多摩ニュータウンの活性化に関する研究	3	2
2010	多摩学研究(チーム TAMA 魂＝「多摩川の水防」「八王子千人同心」など5テーマ)	5	8
2011	中里介山・白州次郎にみる　成り上がり新中間層と多摩地域の関係	6	3
2012	浦賀を中心に見た 江戸幕府の対外貿易と海防	4	2
2013	三多摩壮士はなぜ生まれたのか ―自由民権運動にみる多摩の DNA～	6	3
2014	2040 年多摩の展望 ～50 年に一度の交通革命をこえて～	9	2
2015	多摩ニュータウン 2.0 ～ニュータウン再生に向けた多摩版 CCRC の可能性と提案～	9	3
2016	多摩ニュータウン再生に向けた新たな活性化策の研究 ～シニアと学生との緩やかなネットワークの形成を中心に～	8	2
2017	若者にとって魅力ある多摩地域の創生 ～若者呼び込みにむけた提案～	8	3
2018	ジェロントロジーから見た多摩への提言 ―人生 100 年時代を幸せに過ごす社会システムの要件とは―	10	3
2019	多摩地域の産業から未来を描く ―住み続けたい街の実現に向けて―	6	3
2020	次世代に届けたい多摩地域の在り方 ―30 年後の次世代が住み続けたい多摩地域になるために―	7	3
2021	「多摩地域」における住みやすさに関する研究 ―地域のネットワークの視点から―	10	3
2022	多摩圏の防災対策について ～現状と今後の展望～	4	3
		95	43

70 年代に一斉に入居が始まり、未来社会を先取りした日本最大の
ニュータウンともてはやされた多摩NTは老人中心の街と化している。
日本が直面する高齢化社会の縮図として、その対応策には全国の注目が
集まっている。学際的な研究領域として注目される「ジェロントロジー
（高齢化社会工学）」に早い段階から取り組んだのも当然と言えよう。[1]

　活動の当初は歴史的な成り立ちを探るため、江戸・明治にまでさかの
ぼり、あるいは研究領域を「広域多摩」とすることで域内の人的、物的
な交流を立体的に検証した。第 1 章などで述べた通り、多摩の歴史の実
証的理解に力を注いだ。都区部（23 区）の周縁に位置し、巨大都市の従
属変数と見られがちな多摩が極めて豊かで厚みのある独自の地域性を育
んできたことを確認し、その「自画像」を描く挑戦である。

　21 世紀がスタートした 2001 年（平成 13）、東京都は「多摩の将来像
2001」[2] を制定し、重点的に取り組むべき行政課題として以下の 10 項目を
示している。

　　①圏央道の整備による物流や地域の活性化　②多摩ニュータウンの持
　　続可能な都市づくり　③南北交通の整備促進　④産学公の連携によ
　　る産業の振興　⑤ITの環境整備と活用　⑥多様な機能を活かした農
　　業の推進　⑦水とみどりのシンボル　⑧みどりのネットワークの形成
　　⑨森林の保全と活用　⑩観光地としての多摩の魅力の増進

　策定から四半世紀近く経ったが解決されないばかりか、さらに深刻化
している項目が少なくない。多摩が抱える課題に向き合ってきた歴代の
多摩学班が取り上げたテーマと都が描いた未来像の多くが重なるのは当
然といえよう。

---

[1]　各年度の論文は以下から参照できる。最終報告書は他班の論文と合冊形式で作成されているため、
　　本章での多摩学班論文のページ表記は全体を通した数字で表されている。
　　https://www.tama.ac.jp/guide/inter_seminar.html

[2]　https://www.soumu.metro.tokyo.lg.jp/05gyousei/06sinkoutamashourai.html

知のキャッチボール

　インターゼミと多摩学班の活動について、簡単に説明したい。インターゼミは春・秋学期の通期で開講され、学長が直接指導する演習講座の一つである。大学院経営情報学研究科、経営情報学部（多摩キャンパス）、グローバルスタディーズ学部（湘南キャンパス）の学生が横断的に参加し、年度によっては院生OBも加わった。現在の研究班は、多摩学のほかにアジアダイナミズム、サービスエンターテインメント、DX（デジタルトランスフォーメーション）の四つだが、これまでには地域再生、震災復興、環境・エネルギーなど別個の班が置かれたことがある。

　ゼミ生の数に比して担当教員の数が多いのが特徴で、多摩班だけでも2009年（平成11）から2022年（令和4）までで延べ95名の学生・院生に対し43名の教員が参画した。文献研究やフィールドワークには教員が積極的に関わり、研究の方向性について助言し、最終論文の作成を直接指導することでゼミ生の情報収集能力、分析力、表現力を高めるとともに活動の成果を深化させる狙いがある。

生の声を聴く

　研究の過程でアンケート調査を実施することも少なくない。インターゼミの第1期生である2009年（平成21）多摩学班は多摩大の在籍者に「まちの環境」「住まいへの考え方」「地域活動」を尋ねた。これが先例となり、2016年（平成28）の高齢者対象、2017年（平成29）の若者対象と意識調査が実施されている。調査結果を参考に研究の方向性を定めるとともに、現実に即した論文執筆に大きな役割を果たしている。

　毎年のテーマは4月からの新チームの議論のなか固まっていく。そこでは前年までの研究を継承するのか、それとも新たな方向に歩み出すのか選択を迫られることになる。多摩学班は発足から5年ほどは年替わり

で多様なテーマを追いかけてきた。そのうえで、2014年（平成26）の研究班は『2040年多摩の展望』をテーマに50年に一度と言われる多摩地域の交通革命への問題意識を前面に出した研究に舵を転じている。同年以降の各班は主に多摩地域が直面する問題点を整理し、解決策を提案してきた。

　ただ、各年の論文においては、過去の多摩学班による先行研究への言及が見られ、1年ごとに積み上げてきた蓄積が新たな業績を支えていることがうかがえる。本章では多摩学班の研究の足取りを追うことで、延べ140名ほどの学生と教員が13年をかけて描き出した多摩地域の自画像を探っていく。

写真1　論文完成まで、毎週議論が続く
　　　　（2022年多摩学班）

「大いなる多摩」

二つの多摩

　多摩大学にとってのホームグラウンドである多摩地域について多面的に分析するとともに、大都会の近郊に特有の課題を解決するうえで大学や学生がどう貢献できるか。これが今日までの多摩学班の研究に一貫して流れる通奏低音といえる。多摩学班が地道な活動を続けてきたのは、

地球規模の視野を持ちながらも足元の問題を見過ごさない「グローカル」を掲げる本学にとっては必然と言える。

では、その地理的な対象地域はどこなのか。これについては年ごとの研究班が論議して確定させるが、一般的な通念として語られることの多い「多摩地域」のほかに、本学が独自に構想する「広域多摩（大いなる多摩）」があることを指摘しておきたい。

まず、通念的な多摩であるが、地方自治体である東京都のうち、特別区（23区）、島嶼部を除いた市町村部（26市、3町、1村）を指す。北多摩、南多摩、西多摩の三郡があったことから長らく三多摩と呼ばれてきたが、1970年（昭和45）11月から翌年にかけて北多摩郡、南多摩郡とも消滅した。現在は瑞穂町、日の出町、奥多摩町、檜原村が属す西多摩郡を残すのみで、三多摩の呼び名が使われる機会は減っている[3]。

域内人口は、都全体のおよそ30％の419万2,930人[4]を数え、本学が立地する多摩市のほか八王子市、町田市、立川市など周辺地域の中核として発展を遂げた市は少なくない。「仮に、多摩地域の人口を1つの県と捉えた場合には、福岡県に次ぐ全国10番目」（2021年（令和3）論文、384頁）の規模である。総面積は1159.8㎢で東京都の53％を占める。

広域多摩の認識

これに加えて、本学独自の定義があることを指摘したい。こちらは行政区分にとらわれず多摩川と相模川に挟まれた地域を含めた「広域多摩」と位置付けられる。これを理解するには維新後の歴史をたどる必要がある[5]。

1878年（明治11）の郡区町村編制法により、それまでの多摩郡は四分割された。東京府に属する地域は東多摩郡となる。後に都区部に含まれる一帯だ。一方、神奈川県に属する地域が北・西・南多摩郡（いわゆる三多摩）である。三多摩は、江戸時代に完成した神田上水、玉川上水

を挙げるまでもなく大都市東京の水資源を涵養し、100万都市の水がめとされてきた。コレラの流行があったこともあり、東京府は水道・水源を確保し管理するために三多摩を編入しようとしたが、神奈川県の反対で実現しなかった。

しかし、1889年（明治22）の甲武鉄道（現在のJR中央線）新宿－八王子間の開通や都心部からのサラリーマン層の転入などで、東京と三多摩との結びつきが急速に強まった。神奈川県知事が南多摩を中心とした自由民権運動の流れを汲む自由党勢力の高まり[6]に手を焼いていたこともあり、神奈川県が譲歩。1893年（明治26）、東京府に編入する「東京府及神奈川県域変更ニ関スル法律案」が帝国議会に提出され、三多摩自由党を中心とした移管反対論を抑えて可決成立。同年4月1日に3郡の東京府編入が実現している。

行政的な線引きによる変遷はあったものの三多摩と神奈川県とのつながりは深く、立川と川崎をつなぐ南武線、生糸の集散地である八王子と積出港の横浜を結ぶ横浜線といった鉄道網、生糸の運搬に使われた「絹の道」に代表されるように人々や物資の往来は活発だった。

このことから本学では研究対象を三多摩にとどめず、多摩川、相模川の両河川に挟まれた神奈川県の東部、中部も加えた広域多摩を一体として論ずることが少なくない[7]。本学は多摩市に多摩キャンパス、神奈川県

---

[3] 東京都は2001年（平成13）にまとめた「多摩の将来像2001」で多摩を4エリア（多摩東部、多摩中央部北、多摩中央部南、多摩西部）に分けている。また2013年（平成25）には「多摩の魅力発信プロジェクト・たま発！」を発表し、5エリア（北多摩東部、同西部、同南部、南多摩、西多摩）に分けている。

[4] 東京都「住民基本台帳による東京都の世帯と人口」
https://www.toukei.metro.tokyo.lg.jp/juukiy/2023/jy23000001.htm

[5] 第3章参照。

[6] 2013年（平成25）多摩学班は『三多摩壮士はなぜ生まれたのか』をテーマに論文をまとめた。ここでは自由民権運動に見る多摩のDNAを3人の豪農の活動のなかに描いている。

[7] 2016年（平成28）には、広域多摩地域の課題を解決するために産官学民が連携して行う研究開発を支える場として「大いなる多摩学会」が多摩大学を主体に設立されている。

藤沢市に湘南キャンパスを展開しており、広域多摩の研究拠点として地の利は大きい。歴代の研究テーマにおいて横浜市や相模原市、さらには横須賀市までが論じられたのはこの理由からであり、各年の論文には冒頭で研究対象領域を明示する章が置かれている[8]。

根付いた「何苦楚魂」

　多摩の特徴については、主に初期の研究において論じられている。2010年（平成22）論文はその冒頭で「多摩は一つではない。多様な内部的な特徴と外部的な要因を把握しないと掴むことのできない極めて多様（複層的）な地域である」（1頁）としているが、これがその後の地域研究の出発点となった。

　多摩の精神性を探求した2010年（平成22）から2013年（平成25）の研究の詳細と今日的な意義については、第5章までで述べられているが、2014年（平成26）論文では「先端的なことを行っている人物は、ともすれば周囲の目には変わり者と映りがちだが、それに挫けず前を向いてやってきたのが多摩地域といえないか」（19頁）と問いかけた。そのうえで、「多摩地域は古くから、都心部、農村部とは異なった、周辺性、境界性のDNAを持っており、それが、体力、知力、謙虚さ、正義感の絶妙なバランスを生み、江戸時代から八王子千人同心の活躍をはじめとする世界に繋がる普遍的な地域特性を有していた」（90頁）と見る。幕末期に現れた新撰組（新選組）も多摩出身の農家や下級武士を中心に構成されており、ここにも共通する特性を見出している。

　さらに寺島学長の論考[9]を引用するかたちで、多摩地域はその特異性で苦労をすることも多いが、乗り越える行動力、すなわち「何苦楚（なにくそ）魂」が多摩地域に住む人々に眠っていると指摘している。

　2014年（平成26）多摩学班の論文中にも登場する八王子千人同心[10]は、徳川幕府により甲州街道の警備を委ねられ、いざという時には江戸

から甲斐に脱出する将軍を身を挺して守る使命を与えられた。歴代の多摩学班はこの半士半農の集団を多摩地域の精神性の象徴と位置付けて来た。平時は農業に従事する下級武士らは、甲州街道の警護にとどまらず将軍家の聖地である日光東照宮（日光勤番）、対ロシア防衛の最前線となった北海道（蝦夷移住）、さらに開国に伴う混乱期の横浜警備に駆り出され、「世界との接点が大きい集団」（2014 年（平成 26）論文、16〜17頁）とされる。

多摩学研究を通じて、ゼミ生のみならず教員も含めて多摩地域の歴史の重層的な構造とそこで醸成された精神の一端に触れることになった。

第3節

多摩の魅力──住みやすさの追求

ベッドタウンからの脱皮

多摩の魅力、とりわけ住みやすさについては、各年の多摩学班が様々な角度から評価を試みている。例えば、2022 年（令和 4）論文は「多摩圏における自律的なパートナーシップが向上し SDGs の目標 11『住み

---

8 例えば 2012 年（平成 24）論文『浦賀を中心に見た江戸幕府の対外貿易と海防』では、はじめに「多摩川と相模川に挟まれた地域を広域の『多摩』として、本稿ではその太平洋側の出入口にあたる三浦半島の浦賀に焦点を当て研究していく」とする。

9 寺島実郎「脳力のレッスン 148 〜多摩の地域史が世界史に繋がる瞬間」『世界』2014 年 8 月号、岩波書店、P.37-40

10 第 2 章参照。

続けられるまちづくりを』が実現できる地域となるように発信していきたい」（36頁）と研究の狙いを述べている。

2014年（平成26）多摩学班は「多摩地域の特性」を4点にまとめた。①大都市東京に近接しながらも独立した性格を持つ「周辺性」、②製造・物流の集約拠点として他地域から人が集まる「交流性」、③グローバル化の先進地域としての「国際性」、④地盤が強固な「安全性」である。（97頁）

そのうえ交通革命がもたらす効果が、こうした特性をさらに補強すると見ている。圏央道の全線開通により物流の信頼度が高まれば、物流拠点の立地が促進される。リニアの開通で名古屋も半日出張圏となることで、人とモノの交流が一気に進む。小田急線の延伸、横田飛行場（米軍横田基地）の民間利用への開放などが順次実現すれば、さらに利便性が高まるのは確かだろう。都区部に働く人々が夜だけ戻ってくるベッドタウンから脱し、自然を残しながらも産業基盤の整った地域への進化という展望を描く。

この先行研究を踏まえ、2017年（平成29）多摩学班は研究対象を本学が立地する多摩市に絞ったうえで、人口や住民構成の変遷、雇用環境、交通体系などを分析。「現在の都会に必要な田舎的要素を持った地域」（125頁）と大胆に位置付けた。交通網の発達で都区部への移動時間は短縮される一方、開発が進むなかでも豊かな緑地や農地は残っているのがポイントだ。多摩市にとどまらず多摩地域の多くに当てはまる評価ではないか。

一方、産業を中心に考察した2019年（令和元）多摩学班は、「工場数、事業所数の減少が続き、地域としての雇用が難しくなっている状況が見えてきている。また、リニア開通やテレワークの進展により移動の制約が少なくなるため、多摩地域からの人口流出が起きてしまうのではないか」（149頁）と今後への課題が少なくないことを指摘した。

川崎市や相模原市など、神奈川県では政令指定市を中心に企業誘致に

力を入れている事例が見られるが、東京・多摩地域の市町村は規模が小さいこともあり、小規模な工業団地の造成程度にとどまりがちだ。そうした現状認識のうえで単なる産業集積モデルに人々を引き込むことを目指すのでなく、職場と住居、さらにレクリエーションや娯楽が近接した領域で完結する都市づくりを考える必要がある、という。

前年の研究を踏まえて2020年（令和2）多摩学班は、大都市への人口集中、地方の衰退、出生率の低下や格差の拡大を許容する「都市集中型」、財源やエネルギーなどで自立したいくつもの地方が全国に生まれる「地方分散型」の二つのモデルを示し、現在の「多摩地域は都市集中と地方分散の両方の性格を持ち合わせている」と指摘する。さらに2026年（令和8）ごろまでには分岐点が訪れ、多摩地域がいずれを選ぶかは「日本の未来を占う分水嶺となる」（185頁）というのが、ゼミ生たちが突き付けた問題提起であった。

伝わらぬ魅力

地域のネットワークの視点から多摩地域の住みやすさを調べた2021年（令和3）多摩学班の研究では、日本総合研究所が隔年公表している『幸福度ランキング』を参考に、健康、文化、仕事、生活、教育の5分野について多摩地域を分析した。それによると、それぞれの分野での共同体がすでに存在していることは明らかだが、住民がその存在を知る手立てが乏しいため、幅広いネットワークとならずに終わっている。

住民の孤立を避けることは住みやすさには不可欠の要素であるが、「地域活動の情報を素早く得ること、あるいは活動に乗り出すことが難しい住民にとっては、地域活動にアプローチすることが困難な状況にある。意図せず孤立してしまう住民が少なからず現れる」（450頁）という。

NPOへの期待と限界

　まちづくりや文化継承では、市民が発端となったものが少なくない。その運営母体となるのがNPOである。寄せられる期待は大きいが、2020年（令和2）多摩学班はその限界に目を向けた。

　内閣府の調査によれば、登録されている NPO法人は 2019 年（令和元）で全国に 5200 法人あるが、代表者の 65％以上が 60 歳以上だった。長期的な継続を考えると、盤石な体制で課題解決に取り組むことは困難だろう。独立行政法人中小企業基盤整備機構によるNPO法人の実態調査では、「人材の確保、教育」「収入源の多様化」「後継者不足」を最大の運営課題であると挙げている団体が多い。

　そこで注目するのが沿線にある鉄道会社である。「幅広い地域との関わりを密接に持っている。また、近年活発になり始めた沿線価値向上のためのコミュニティビジネスへの進出を鑑みると、独自のネットワークを活用してマッチングを促進させるチャネルとして鉄道会社は活躍できるのではないか」（193 頁）というのだ。多摩地域では京王や小田急、東急、JR東日本などが有力候補であり、街づくりの様々な検討において鉄道各社にヒアリングを実施した多摩学班は 2020 年（令和2）に限らない[11]。

---

[11] 都心と神奈川県を結ぶ東急電鉄はIT技術を生かして交通、不動産、生活サービスといった事業を有機的につなぎ、沿線コミュニティの価値を引き上げる「私鉄3.0」のビジネスモデルを打ち出している。JRや他の民間鉄道でも同様の取り組みが始まっている。

ニュータウンへのまなざし

理想郷からの暗転

　多摩キャンパスの学生たちは、大学と最寄り駅との行き帰りのなかで多摩NTの抱える問題を体感している。

　一帯は丘陵地帯を切り拓いて作られた。人工的な街は掘り下げられた道路と両側に広がる中層の集合住宅や戸建て住宅から成る。幹線道路に囲まれた住区、歩行者専用道路のネットワーク、車道と歩行者専用道路の立体交差は理想の住宅都市のモデルとされ、完成当初はあこがれの住宅地だった。しかし、半世紀を経て状況は一変する。以前は各所に商店や小規模スーパーが集まる買い物ゾーンがあったが、近年はそうした商業施設の撤退が相次ぐ。車を持たない住民は聖蹟桜ヶ丘や永山など主要駅周辺のショッピングセンターまでバスで買い物に出かけるしかない。

　バスから降りた高齢者が自らの住まいにつながる階段を、買い物袋を提げ手すりを頼りに上っていくのを目にする。30代から40代で入居した当初は家族で軽やかに上り下りした階段や坂道が、老夫婦あるいは一人暮らしとなった今は障壁として行く手に立ちふさがっている。若者として何か手伝えないか、大学に求められる役割があるのではないか、と学生たちが考えるのは当然のことだろう。

　先に紹介したように都が策定した『多摩の将来像2001』で課題の2番目に挙がっていたのが「多摩ニュータウンの持続可能な都市づくり」だった。その具体策として、「業務、商業、文化など機能集積を活かした、教育・文化関連産業の育成」「大学、NPOや豊富な人材を活用した地域に

根付いた就業や活動の活性化」が示されているが、どこまで実現した
か。おのずと歴代の多摩学班が取り組む問題となった。

　初代多摩学班の論文「多摩ニュータウンの活性化に関する研究」は先
行研究のないなか、手探りながらも問題の洗い出しに挑戦した。ニュー
タウンを「中心市街地とは連続していない未利用地において計画的に開
発され、比較的年代が近く、家族構成が類似している世帯が同時に、あ
る程度まとまって入居した住宅地」（5頁）と定義したうえで、歴史的な
経緯と現在抱えている問題点との関係性に焦点を当てて研究している。

　ここからは14年間に及ぶ論文の集積を参照しつつ、多摩NTに向き
合った学生たちの足跡をたどっていこう。

　1963年（昭和38）の新住宅市街地開発法の施行で大規模な宅地開発
が可能となり、「資金のある人々には持ち家を、乏しい人には公営住宅
を、中間層（サラリーマン）には公団住宅を提供する。そして郊外部・
地方部にインフラを整備し、新たに都市として独立した機能を備える」
（2009年（平成21）論文5頁）という意欲的な政策が一気に推し進めら
れた。広大な多摩丘陵の乱開発を防ぎ、自然と調和した秩序ある住宅都
市という理想も掲げられた[12]。

　多摩NTの入居は、1971年（昭和46）、永山駅南側の多摩市諏訪・永
山地区で始まり、核家族層が次々と引っ越してきた。「若いファミリー層
の憧れであった。多摩丘陵地帯に広がる山や田畑を切り開き、間もなく
訪れる自動車社会にも対応した車歩分離式の街づくりと、日常の買い物
を済ませることができる商店街を備えた大型団地は、当時はまさしく
『理想郷』と考えられていた」（2015年（平成27）論文5頁）のだ。

　40歳代後半から50歳代を迎えて経済力がついた世代は、手狭になり
買い物や通勤にも不便な住宅を手放して新たな家族構成に適した住居に
移り、その後を若い世代が埋める。こうした循環により極端な高齢化は
避けられるはずだった。しかし、1980年代後半にバブル経済が到来し、
1990年代に入るとその反動から後に「失われた30年」と呼ばれる長期

不況に突入する。経済環境の激変のなかで住み替えの時期を逸したまま入居を続ける世帯を中心に高齢化問題が一気に露呈した。「駅から 10 分、20 分離れた若い世代に好まれない団地は新規の入居者が少なく、高齢化や空き室の増加という問題が深刻化している」（2016 年（平成 28）論文 148 頁）。

人口動態の変調

　とくに多摩NTの中核にある多摩市は「一斉に市内広域で街びらきを行ったため、時が経ち、住民の年齢層が大幅に上昇。『ニュータウン』とは言い難い状況となっている」（2019 年（令和元）論文 159 頁）[13]。南多摩選挙区選出の都議会議員石川良一氏（前稲城市長）が多摩学班のインタビューに答えた通り、「ニュータウンの中でも日本一高齢化のスピードが速いと言われている」（2022 年（令和 4）論文 53 頁）のが実態だ。

　全国のニュータウンが抱えている問題を 2009 年（平成 21）班は「少子高齢化問題」「人口減少問題」「住宅問題」の三つに整理している（論文 7 頁）。不況の長期化もあり、住民の交代が進まないままそれらが一気に襲ってきたのだ。

　また、都区部と多摩地域間、東京と都外自治体間の二つの人口動態を分析した 2015 年（平成 27）多摩学班は、1990 年代までは都区部から多摩地域への転入が多かったのが、2000 年代以降に逆転した事実に注目する。さらに東京と他県との社会人口動態においては、1990 年代半ばまでは多摩地域を含めた東京都全体から他県に向けて住民が流出していた

---

[12] 第 5 章参照。

[13] 2019 年（令和元）多摩学班によれば、多摩NTに一部が含まれる町田市は、市内を細かく区画割りし、それぞれの地域を順に開発していったことで、年齢層にも多様さが表れている。人口の流動性が大きく、地域の高齢化の歯止めとなっている。

が、後半からは他県から都内、特に 23 区への流入が進んでいる。

　そのうえで次のように推論した。1990 年代まで東京都心に勤める単身者は地方から上京して、まずは都区内に暮らし、家庭を持って子育て時期に入ると多摩地区に移るという構造が成り立っていた。しかし、21 世紀に入ると郊外に求めていたベッドタウンの役割が都区内に移行。多摩地域の住民の逆流が進んでいる。他県へ流出していた人口が都心に流入するようになった傾向も同様の理由で説明できるとする。

　その背景にあるのが 1997 年（平成 9）の建築基準法の改正である。都心や湾岸地域に超高層マンションの建設が可能になり、通勤や通学に最適な住居が大量に供給された。これに伴い多摩地区への人口流入元も以前の都区内から他県へと変化を見せている。「都心部で不足している住宅の受け皿という役割、すなわち郊外型ベッドタウンとしての機能が終焉を迎えていることが改めて確認できる」（2015 年（平成 27）論文 25 頁）とされる。

高学歴・高齢化社会

　2016 年（平成 28）多摩学班は多摩市をモデルに住民の特徴を分析している。第一に挙げたのが高学歴という点である。2010 年（平成 22）度国勢調査によると市内在住者の大学・大学院卒業者数は男女全体で 3 万 3504 人、短大・高専卒者が 1 万 6836 人で、短大・高専以上の高等教育を受けた人々は全市民の 33.5％に上っている。多摩市を除く東京都全体と比べ、大学・大学院卒は 2 ポイント、短大・高専卒でも 1 ポイント上回っている。とく

写真 2　時には寺島学長がゼミの討議に加わることも（2019 年多摩学班）

に男性の大学・大学院卒は都全体より4ポイント以上も高くなっている。

　本学で開催するリレー講座への参加者に2016年（平成28）多摩学班が実施したアンケート調査では、回答者（191人）の90％強の最終学歴が高等教育（短大・高専・専門学校・大学以上）だった。リレー講座自体が深く社会問題を考える場[14]であることから参加者に偏りがあるのは避けられないが、社会への意識が高く、学ぶ意欲を持ち続ける高学歴者が少なくない地域であることがうかがえる。多摩NTの活性化策を考えるうえでも、高学歴社会の傾向が強いことはしっかりと押さえる必要があろう。

達成感と帰属意識

　多摩地区に住む高齢者が抱える課題の本質を「コミュニティとの繋がりを通じた達成感の獲得」とした2018年（平成30）多摩学班に対して、2014年（平成26）班は「帰属意識の希薄化」への対応を重視している。

　「地方の高齢者は、退職後も農業や近隣住民とのコミュニティなど何かしらやるべきことや属する場所があり、まだまだ社会に貢献しているという生きがいを見出すことが容易であると考える。しかし、企業で働くことにほとんどの時間を費やしてきた都市部の高齢者は、退職後にやるべきことや居場所がなくなってしまい、孤独感や疎外感が強くなり、生きがいを見出すことが難しい傾向にある」（37〜38頁）との視点は鋭い。

---

[14] 寺島学長の監修で実施され、著名な講師が交代で講義を行う。例えば、2023年（令和5）秋学期の講座案内では「日本と世界が置かれた歴史的位相を多面的な視点から再検討し、その今日的課題を解析するプログラムを構築する」としている。

多様な提言

　では具体的にどう対応すべきなのか。学生の自由な発想も踏まえて、いくつもの提案が示されている。「多摩ニュータウン2.0」をテーマに掲げた2015年（平成27）の多摩学班は、米国で普及しつつあるCCRC（Continuing Care Retirement Community）に着目し、多摩版CCRCの可能性を追求した。持続したケアを受けられる退職者の生活共同体であるが、「入居費用など投資額が非常に高いため米国でも高齢者の約3％しか入居していない現実がある」（論文27頁）。このため、そのまま移植することは現実的ではないが、先進例を学ぶことで多摩NTの再生のヒントを得ることを目指した。

　最終的な提案は8項目と多岐にわたる。

　①生きがいを生む雇用の創出、②高齢者産業の誘致、③高齢者の健康づくり、④団地の多面的活用、⑤交通革新によるスマートシティ化、⑥多摩版CCRCの経済基盤の確立、⑦分譲型団地住宅の所有権の「利用権」化、⑧大学の役割の認識

　簡単には実現できない項目も含まれているが、いずれも単なるベッドタウンから進化するうえで欠かせない。高齢者も働くことで地域運営に貢献できる職場の創出、高齢者のビッグデータの提供と高齢者サービスの実証実験の先進地への展開、空き部屋の増えている団地の再利用など多摩NTの再生につながる提案は少なくない。

ジェロントロジーの視点

　2018年（平成30）多摩学班は「ジェロントロジー」という用語を用いて、多摩地域に出現した高齢社会の研究に取り組んだ。日本では「老年学」「老人学」と訳されることが多いが、寺島学長が提唱する「高齢化社会工学」という観点から分析している。

個々の高齢者に焦点を当てるのでなく、高齢化に対応した社会の構築に主眼を置き、老後の生活を充実させて過ごしていくうえで必要な社会システムにまで視野を広げている。そのうえで、シニア層を取り巻く、健康・交流・仕事・生活など多岐に及ぶ要素を勘案し、これからの社会の仕組みづくりを考えていった。

　「人生 100 年時代を幸せに過ごす社会システムの要件」として、報告書は「金銭的報酬（就労等）と非金銭的報酬（ボランティア等）をワンストップで扱うシニアアクティビティのデータベースを整備し、シニア活用の知見があるコンサルタント等によるアクティビティ開発により、多様な達成感を求めるシニア層のニーズに答えられる仕組み」（359 頁）の構築を提案している。

第5節

地域のサステナビリティ

農業への視点

　多摩地域は一気に都市化が進んだが、いまも住宅地に隣接して農地が広がる光景が見られる。2017 年（平成 29）多摩学班が「現在の都会に必要な田舎的要素を持った地域」（125 頁）と指摘したのもうなずける。

　しかし、多摩地区の農業人口は 2014 年（平成 26）現在で 1697 人[15] と全就業者 157 万 7000 人と比べると微々たるものであり、それも年を追っ

---

[15] 多摩地域データブック 2022 年版（東京市町村自治調査会）

て減少する傾向にある。農業用地を見ると、2023 年（令和 5）現在で田は 2.66㎢、畑が 47.13㎢ [16] で、合わせても全域の 4.3％にとどまる。東京都の食料自給率は、22 年現在でカロリーベースは 0％、生産額ベースでは 2％と極めて低いことは、人口が集中した大都市に隣接することからやむを得ない面はあるものの、緑地の残る多摩地域では何らかの取り組みを考える余地はある。

　住み続けたい街のあり方を考えた 2019 年（令和元）多摩学は、先端技術を生かした農業（スマート農業）の開発を提言の一つに加えている。IT やロボットなどの先端産業技術を駆使して、新たな農業の可能性を導き出す事業の研究や開発に多摩地域の企業と農地、遊休地を結びつけようというのだ。

　相模原市に集積が見られるロボット産業のような先端技術産業を生かし、多摩地域が農業用ロボットの研究開発地区となり、少人数の農家でも生産性を維持する道を探るという構想である。増えている空き地も含めて実験農地に再編したうえで、農業ロボットによる近郊農業の持続可能性を探る研究を進めるとしている。

市民農園の可能性

　一方、2010 年（平成 22）多摩学班は 5 つのテーマの一つとして市民農園を取り上げ、その可能性を調べている。小面積の農地を利用して野菜や花を育てる農園は欧州では古くから普及しており、先進地のドイツでは 19 世紀半ばには主に貧困者向け事業として各都市で建設された。

　日本では 1960 年代半ばから遊休農地の有効活用を目的とした市民農園が一部の先進的な農家によって開設される。耕作放棄を回避する手段として始められたものだが、遊休農地の増加や緑地、空き地不足に頭を悩ましていた自治体が目を付け、農地の処遇に困っていた農家と契約を結び、行政主体の市民農園が全国に広がった。

2010 年（平成 22）多摩班は最近この事業者と利用者の関係に地域住民が加わり、3 者の相互関係を築く市民農園が出現してきたことを評価する。住民が市民農園の運営に参加すれば、地元と利用者との交流が拡大する。農作業のやり方を教えたり、その土地に関して話し合ったりすることで、利用者はその地域や自然を深く知るようになるというわけだ。

健康への高い意識

2018 年（平成 30）多摩学班は興味深いデータを掘り起こした。「多摩市国民健康保険データヘルス計画」によれば、多摩市の生活習慣病に費やす医療費は、都全体の公営保険加入者の平均より高く、しかも増加傾向にあった。

その理由の一つに挙げたのが、疾患認識の高さによる治療への積極性だ。多摩地区の高齢者の特徴として高学歴であることが度々指摘されているが、これが関係している。一般的に生活習慣病では目立った症状のない時期が長く、病院での受診や薬剤服用への認識が他の疾患と比較して低いことが知られている。「しかし、高学歴である多摩地区の高齢者は健康への意識も高く、健診を受け、通院にも真面目に取り組んでいる」（276 頁）。多摩市の生活習慣病についての医療費が高いのは、患者数が多いのではなく、健康に対する意識が高いからこそ起きる現象であるというのだ。

高学歴シニア層の医療費を抑制していくためには、生活習慣病になる前の段階での予防に意識を振り向かせることが重要になる。そこで定期的な運動を促す環境づくりを提案している。具体的な方策としては、自治体や法人向けに健康改善プログラムを展開している健康産業が提供す

---

16 多摩地域データブック 2022 年版（東京市町村自治調査会）

るサービスの活用などが考えられよう。

SDGs 先進都市の条件

　2020 年（令和 2）多摩学班は、多摩地域がSDGs先進都市になるためのヒントを探った。その参考にしたのが「次世代に残せる自然環境」「大学都市」という共通の特徴を持つドイツ・フライブルグ市だ。ドイツ最南部に位置する同市は環境に重視し、街の中心部から車を排除した地方都市の一つとして知られる。

　報告書ではSDGs先進都市が実現した背景を分析したうえで、それぞれのローマ字を使って、S（市民主体の取り組み）、D（同時解決の取り組み）、G（世代を超えたゴールに基づく取り組み）、S（世界と繋がった取り組み）を提唱している。このうち市民主体のSでは、多くの市民団体がメンバーの高齢化や固定化に悩んでいる現実を指摘したうえで、複数課題の一体的な解決や他の団体、世代との連携を求め、同時解決のDでは「行政の取り組み中心の日本では、部署間の『市民の奪い合い』が起きており、同じ市民が複数の委員を掛け持ちしている」として、「施策や事業が複数の課題解決に繋がっているかどうかを一つひとつ検証したうえで、それに関わる市民も行政担当者も一本化していく人の分かち合い」（190 頁）を呼び掛ける。

　そのうえで、次世代に豊かな多摩地区を届ける必要な要素を、「本質的な課題解決を行えるプラットフォーム創り」「より円滑なコミュニティ活動を支える、環境に配慮した地域交通」「市民が主体をもって課題解決に取り組める環境」の 3 点に集約している。

防災にとりくむ

暴れ川との暮らし

　本学は多摩川の流域に立地していることから、洪水を中心とした防災への意識は高い。開学 25 年を機に防災拠点としての拡充を図る方針を打ち出す背景の一つに、多摩学班が積み上げた研究の実績が指摘されるだろう。2014 年（平成 26）多摩学班は「防災都市としての多摩地域」に 1 章を割き、東京や横浜の自然災害リスクの高さを踏まえて、災害に強い交通ネットワークの構築に伴う災害支援拠点や備蓄基地としての多摩地域の役割の重要さを強調した。これを踏まえて 2022 年（令和 4）多摩学班は「公助、共助、自助の役割を正しく理解し関係性を定義することにより、多摩圏における自律的なパートナーシップが向上」（36 頁）することの重要性を指摘している。

　早くも 2010 年（平成 22）の研究では多摩川における水防への課題が取り上げられ、16 世紀末から現在までの水害史を詳述している。そのうえで、町田市に水源をもち横浜市を貫く鶴見川との比較を試み、多目的遊水池が整備され、流域の子供に向けた防災キャラバンの実施、水防演習などが定期的に実施されている鶴見川に比べて多摩川の水防意識は低いと批判している。背景には流域住民が多摩川を安全な河川と誤認しているうえ、国が多摩川の水防にばかり時間と労力を使えない事情があるとする。ただ、過去に水害の被害が大きかった地域、水位の高まりで危険を感じていた地域においては合同巡視の参加者も多い。稲城市、日野市（高幡付近）、狛江市など流域の一部での意識は高いことから、「身近

でできる活動を、水害を知らない若い世代（学生）ができたら素晴らしい」（18頁）として、大学やサークルで意欲のある学生を集め、地域の水防団などと連携した防災キャラバン、水防情報の大学ホームページや学生団体のサイトでの発信を提唱している。

写真3　学長、教員や他班のゼミ生を前にした報告会は極めて緊張する場となる（2023年多摩学班）

常住者への視点

　2022年（令和4）論文によれば、多摩圏の昼間人口は夜間の91.94%（2020年（令和2）10月現在）[17] と、より多くの住民が夜間に居住していることが分かる。ベッドタウンの役割を担っているからで、「平日の昼間に震災が発生した際の救出救助活動の担い手不足への懸念」（26頁）は大きい。

　内閣府防災情報ページによると、1995年（平成7）の阪神淡路大震災での被災者は7割弱が家族を含む「自助」、3割が隣人等の「共助」によって救出されており、「公助」である消防や自衛隊などによる救出は数パーセントにすぎなかった。こうした現実を踏まえて、2022年（令和4）多摩学班は以下の4点を本学に提案している。

1. 防災活動の実習や防災リーダーの育成に資する教科を本学の教育課程に盛り込む
2. 大学公認の恒常的ボランティア活動団体を設立、組織化する
3. 全国から集まるボランティア集団の受け入れ拠点としての役割を果たす
4. 他機関（大学、社会福祉協議会等）と協定を結び広域ボランティア活動を実現する

背景には、昼間の時間帯に多くの若者や教職員がおり、頑丈な建物や広大なスペースのある大学が災害時に果たせる役割が大きいことがある。とりわけ「共助」への貢献は極めて重要であろう。ただ、十分な機能を発揮するには日ごろからの防災意識や訓練が欠かせないため、授業やゼミ、課外活動のなかに防災の視点を組み込むことが求められる。2016年（平成28）多摩学班が実施した高齢者調査では、学生から提供してほしいサービスの第1位に「災害時や非常時に手伝う」（21.9％）が挙がり、地域社会からの期待は大きい。

多摩大学の役割

平均年齢20代の強み

　高齢化や少子化が急速に進む地域社会において、平均年齢が20歳代前半の若者が集う大学が果たすべき役割は大きい。生涯学習を望むシニア層に学びの場を提供するとともに、大学が連携することで地域活動を支える潜在力を備えた学生たちの活躍の場を創出することも期待される。毎年の論文が本学の貢献のあり方に論及するのは必然と言える。

　「若者にとって魅力ある多摩地域の創生」をテーマとした2017年（平成29）多摩学班は卒業者の定住を推進する活動を提案した。具体的には、「学生が自主的かつ主体的に企画運営可能な教育活動と交流を軸と

---

17 総務省統計局ホームページ『国勢調査 都道府県・市町村別の主な結果』

した多摩市内の大学間連携を通じたコンソーシアムの設立」「地域活動を
メインとしたゼミ単位における校外（郊外）アクティブラーニングの実
践」（181頁）である。京都では市と大学、産業界を中心とした産学公の
組織「大学コンソーシアム京都」が1994年（平成6）から活動してお
り、その多摩版を考えた。

　この構想を継承し、発展させたのが2021年（令和3）多摩学班であ
る。論文では個々の大学の枠を超えた「多摩のミネルバ大学」[18]を提唱し
ている。その最終目標を「学びと活動の循環」を通じた生涯学習の確立

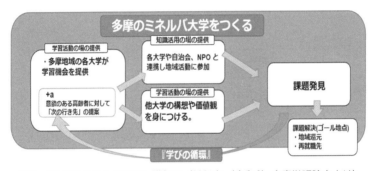

図1　「多摩のミネルバ大学」構想図（2021年（令和3）多摩学班論文より）

と「学びの地域還元」を通じた地域経済の振興や課題解決に置き、60校
を超す大学が立地する多摩地域において、コンソーシアムのような組織
形態での活動を考える。そこでは各大学が連携して地域の人々の学習機
会を提供するとともに、自治体やNPOとも協力することで地域活動に参
加する。報告書では自治体やNPOとつながる地域ネットワークの中核に
大学を置くことを提唱している。

高齢者との交流基盤

　学生と高齢者の交流について、2015 年（平成 27）多摩学班は「学び合いシステム」を提案した。現在の社会の仕組みは、定年退職した高齢者は自由にのんびりと暮らすという前提で作られているが、社会参加を望む人が多いことは 2016 年（平成 28）の意識調査（2016 年（平成 28）報告書 176 頁以降）や 2018 年（平成 30）のハローワーク府中へのヒアリング調査（2018 年（平成 30）報告書 322 頁）などでも明らかだ。ならば、豊富な知識を若者に引き継いでもらうことで、多摩 NT にとどまらず地域社会全体が活性化することを期待する。そのためには本学を高齢者も学べる場としてさらに拡充するだけでなく、高齢者が若者に教える場にもしなければならない。

　高学歴の高齢者が多い多摩地域は知識を欲する方々が多く、先に紹介した通り、本学のリレー講座には毎回数百人の聴講者が足を運んでいる。これを踏まえて 2015 年（平成 27）多摩学班は、履修者に余裕のある一般講義を高齢者に開放すると同時に、気軽に交流できる場を設け社会での豊かな実体験を持つ高齢者の方々からその知識を受け継ぐことを提案する。「学生からすれば宝石箱のような知識の宝庫を次の世代、学生につなげることができる。これにより、多摩ニュータウンは住民や資金が循環するだけでなく、知識も循環する街となる」（77 頁）というのだ。本学にはその拠点として他大学の先駆けになることを求めている。

　また、2017 年（平成 29）論文では若者がパソコンのスキルを教える「パソコン教室」を提案した。高学歴の高齢者が孫の世代の学生に基礎知識を教わる機会をどこまで望むかは定かでないが、2016 年（平成 28）

---

[18] ミネルバ大学はカリフォルニア州サンフランシスコに本部を置く移動式の大学。現地の企業や研究機関、政府、自治体などと協働する実践的なプログラムも用意されており、能動的ではなく自発的な学びを促している。

多摩学班が実施した高齢者調査では、学生から提供してほしいサービスとして「パソコンやスマートフォンを教える」を 18.7％の方が挙げていたのは心強いデータである。

最後に、2015 年（平成 27）論文が取り上げた意欲的な取り組みを紹介する。団地の空室に多摩大の学生が入居し、地域活動に溶け込むという事業である。多摩市役所、UR 都市機構との連携によって誕生した本学独自のシェアハウス型学生寮「地域学生センター」として、2015 年（平成 27）4 月から実施され、多摩 NT が抱える課題の解決に意欲を持った学生に生活を共にすることを呼び掛けた。その学生らは地域でのボランティア活動などを通して自らも学べるという仕組みだった。

残念ながら、この意欲的な挑戦は 2018 年（平成 30）3 月に活動を終えた。学生 3 名が 1 部屋に入るシェア入居で始まり、翌年には学生 5 名が 2 部屋に入ることで規模を拡大したが、若者と高齢者が隣接した空間で暮らすことの難しさが明らかになった[19]。

世代を超えた構想を実現するには、受け入れ住民との事前の協議、学生が果たすべき活動の明確化などの環境整備が欠かせない。高齢化の進む多摩 NT を活性化するうえで、意欲のある学生など若者の参加は不可欠である。この実験の教訓を生かして新たな取り組みに挑戦することは決して無駄でないだろう。そこでは多摩学が積み上げた研究が活用されることを望みたい。

---

[19] 例えば、学生たちはアルバイトや部活動を終えた夜間が生活時間となるが、これは高齢者には睡眠時間にあたる。当然と思っているゲーム音や話し声が、近隣者に非常識な騒音と受け止められることがあり、学生が地域に溶け込むうえでの課題を痛感させられた。

多摩学研究の
展開

8

松本 祐一

多摩学の社会工学的実践

多摩学における実践の位置づけ

多摩大学の多摩学は「歴史の実証的理解と現代の課題における歴史の実践」という二本柱が特徴になっていることはすでに指摘した[1]。その研究・教育の場であるインターゼミが社会工学研究会という名を冠しているように、エリアスタディにとどまらず、歴史から学び、現実や将来の問題解決に役に立てるという社会工学的な志向性が強い。これは問題解決という視点から研究するということであり、かならずしも実際に問題解決の実践を行うこととは同意ではない。

ただ、現実や将来の問題に向き合う姿勢で「時代認識」を持っていることは、グローバル社会や日本国内、そして多摩地域の環境変化のなかで、常に自分たちの立ち位置をとらえなおすことになり、多摩大学の様々な試みと無縁ではいられない。2009年（平成21）から始まった多摩学は、このころのグローバル社会や多摩地域の環境変化に対して大学としてどう関わるかという実践とつながっている。寺島は2010年（平成22）の年頭所感のなかで、就任8か月で見えてきたものを“「実学志向の大学」のとらえなおし”という形で問題意識を持ち、「グローカリティ」の視座の重要性を指摘しながら、多摩大学のアイデンティティ確立のために多摩学の確立を目指すことを宣言している[2]。これは多摩学が大学から切り離された研究領域として設定されているのではなく、大学の存在意義と深くつながった研究であることを示している。高等教育を政府が強く統制してきた日本において、1990年代以降の大学改革は、大

学の自律性拡大をもたらす一方、市場化を推進した。高等教育の大衆化と18歳人口の減少に直面し、大学は社会のニーズをとらえて、競合他大学と差別化し、顧客（学生）を集めるための特徴をつくる必要が出てきた。さらに市場化と同時に推進された第3者評価をはじめとする質保証制度の整備は、大学の固有性や独自性を、市場からだけでなく国からも求められるようになった。このように多摩学の誕生は現代の大学のあり方の変化にも影響を受けているといえる。

実践的な研究と地域アクターとの連携

2009年（平成21）には、地域活性化マネジメントセンターという組織が設立された。この全学組織は、教育の面では、学生が地域に行うプロジェクト型学習を支援すること[3]と、研究においては多摩学を確立することや、多摩地域にとらわれない地域課題の実践的研究を促進する役割を持っていた。

2011年（平成23）3月11日の東日本大震災の衝撃と傷跡がまだ生々しく残るなか、このセンターが中心になって『多摩大学 東北「道の駅」大震災研究プロジェクト』が立ち上がる[4]。震災直後の刻々と変わる状況

---

[1] 第1章 p.23

[2] 寺島実郎『多摩大学「2010年の年頭所感と方針」』2010年より

[3] 2010年（平成22）には、現在のアクティブラーニング発表祭の原型である「地域プロジェクト発表祭（次年度より地域プロジェクト発表祭）」が初めて開催され、プロジェクト型地域学習の成果を発表する場を設け、教員と学生だけではなく地域の関係者も参加し活発な議論が交わされた。

[4] 本研究は財団法人JKAからの資金協力を得て、救援、復旧、復興支援にあたり、東北の道の駅の果たした役割がどのようなものだったのかを明らかにし、今後果たし得る平常時と災害時の双方に適応した地域の多機能型交流拠点としての新しい役割を模索するために、現地のNPO法人東北みち会議の協力を得て実施したものである。2011年9月5日から10日まで岩手県・宮城県・福島県の3県に、教員・職員・学生の混成チームによる現地調査団を派遣し、道の駅と地方自治体を合わせて合計29施設を訪ね、震災時の状況と対応の聞き取りを行った。また、139の全東北「道の駅」を対象としたアンケート調査を行い、現地調査と合わせて今後の道の駅のあり方についての提言をまとめ、翌年の2月に仙台にて報告のためのシンポジウムを開催した。本調査は道の駅関連の書籍で引用されるなど高い評価を得た。関・松永（2013）p.17 等

のなかで「道の駅」が果たした役割を、複数の教員と学生たちが現地調査やアンケート調査を行い、その結果を報告書にまとめた。また、優良な中小企業を「志企業」と名づけ、就職において大企業志向から脱却し、これらの企業と学生とのミスマッチを解消することを目的に、2010年（平成22）から多摩地域における採用実態調査を毎年行っている。さらに2014年（平成26）11月、創立25周年を迎えた多摩大学が、"多摩の「健康まちづくり産業」を構想する"と題して創立記念シンポジウムを開催し、新しい研究の方向性として「健康まちづくり産業」というテー

写真1　創立25周年シンポジウムに集まったアクターたち

写真2　3者連携の協定式での（左から）佐藤多摩信用金庫理事長（当時）、阿部多摩市長、寺島多摩大学学長

マを掲げた。このプロジェクトには、多摩市、株式会社ファンケル、京王電鉄株式会社、株式会社サンリオエンターテイメント、多摩信用金庫などの地元企業や健康関連企業の賛同を得て、その後の共同研究が進んだ。

　このような教育や研究には地域の様々なアクターとの連携が欠かせない。多摩学の実践が進むなかで、多摩大学として数多くの組織との連携を試みている。2010年（平成22）10月26日に多摩市、多摩信用金庫、多摩大学が創業支援についての連携協定を締結した。その協力関係は今でも続いており、多摩市長、多摩信用金庫理事長が多摩大学の入学式に列席することは恒例となった[5]。

　グローバルスタディーズ学部でも2015年（平成27）に、藤沢市、藤

沢市観光協会と連携協定を結んだ。2016 年（平成 28）には、奈良の帝塚山大学とも協定を結び、それぞれのプロジェクト発表会に両校の学生が参加するような交流が生まれた。その後も、自治体では昭島市、奥多摩町、鎌倉市、企業では京王観光株式会社、小田急電鉄株式会社、小田急不動産株式会社、観光協会では、寒川町観光協会、鎌倉市観光協会など、広域多摩地域における産官学民の組織との連携協定を結んでいく。

　このような多様な連携は、高等教育機関が立地する地域に対して行う貢献という文脈を超えて、地域のアクターたちが直面する問題解決に直接寄与することを期待されていくことになる。2019 年（令和 1）には、地域活性化マネジメントセンターを、産官学民連携センターへ改組し、地域への社会工学的な関わりをより強調することとなった。

　本章では、そのような社会工学的なアプローチで行った実践のうち、創業支援事業についてのドキュメンタリーをまとめていく。

第2節

創業支援事業の背景と経緯

多摩大学の「ベンチャー志向」

　多摩大学の創業支援との関わりは多摩学誕生の前にさかのぼる。初代学長の野田一夫は就職よりも起業する選択肢を推奨し、教授陣も「ベン

5　他にも多摩信用金庫が主催する地域の優れた技術や経営手腕を表彰する「多摩ブルー・グリーン賞」の審査委員長を寺島実郎が 2019 年（令和 1）度（第 17 回）から務めている。

チャービジネス」や「ソシオビジネス」「コミュニティビジネス」といった
ビジネスの新しいあり方を提案してきた。多摩大学において創業は身近
なテーマでもあり、実際に起業家と呼べる卒業生も多い。また、多摩大
学総合研究所では 1996 年（平成 8）より「ベンチャーアカデミー」と
呼ばれる講座を開設し起業家育成を目指していた。その後、このような
「ベンチャー志向」は大学の方向性として明確に語られなくなったが、講
義やゼミのなかに埋め込まれて静かに伝統として息づいていた。そして
あらためて創業というテーマに光があたる瞬間がやってくる。大学が立
地する多摩市における創業支援政策の変化と、多摩信用金庫の取り組み
がきっかけとなる。

創業支援政策の背景

　その前に当時の創業支援をめぐる国の動きをみてみよう。創業の促進
に大きな関心が寄せられるようになったのは 1980 年代からである。中
小企業政策が、労働生産性の向上などの経営の高度化や大企業との下請
け関係での不利の是正といった主旨だったものから、中小企業を技術革
新・情報化や経済活動の活性化を担う存在ととらえなおす転換があっ
た[6]。それが 1990 年代のバブル崩壊後に恒常的に廃業率が開業率を上回
る状態となったことで一層高まり、1999 年（平成 11）、中小企業基本法
の改正へとつながり、創業支援が中小企業政策の柱の一つとして位置づ
けられるようになった[7]。
　表 1 は「平成 21 年経済センサス基礎調査」の民営事業所の異動状況
をまとめたものである。2006 年（平成 18）から調査時点の 2009 年（平
成 21）の期間で、存続、新設、廃業という状況を示したものである。事
業所全体に占める新設事業所の割合は全国で 9.9％、都道府県別にみる
と東京都は 12.6％、特別区が 13.0％、島しょ部を除いた多摩地域はとい
うと 11.0％であった。この時期は 2008 年（平成 20）のいわゆる「リー

マンショック」と呼ばれる金融危機が含まれており、全国で新設の事業所は約61万で総数の1割にも満たない。廃業率が開業率を上回り、創業という挑戦が減少することは、地域経済の停滞をもたらし、収入や生きがいをもたらす働く場が減るということになり、地方自治体にとっても創業支援は無視できないものになっていく。

表1 「平成21年経済センサス基礎調査」 民営事業所の異動状況

地域	事業所総数	存続事業所	新設事業所	廃業事業所	総数における新設事業所の割合(%)
全国	6,199,222	5,536,474	611,499	1,072,579	9.9
東京都	757,551	652,299	95,230	155,421	12.6
特別区部	611,040	523,358	79,264	130,764	13.0
多摩地域	147,267	129,461	16,172	24,691	11.0

多摩地域における創業支援

多摩地域における創業支援の取り組みは、三鷹市が1998年（平成10）の「SOHO　CITYみたか構想推進協議会」や翌年の株式会社まちづくり三鷹の設立を契機に、2003年（平成15）までにいくつかの創業支援施設[8] を整備していったことが最初といわれる。いずれも三鷹市や国の予算で整備されたもので、行政主導で作られた地域の創業支援施設の先駆けである。

---

[6] 小林（2019）、p.162

[7] この改正で、中小企業政策は「経営の革新及び創出の促進」「中小企業の経営基盤の強化」「経済的社会的環境の変化への適応の円滑化」の3つの基本方針へ再編された。創業については、2005年（平成17）、中小企業の新たな事業活動の促進に関する法律（中小企業新事業活動促進法）が制定され、中小企業の個社の取り組み支援に加えて、異業種での連携支援（新連携支援）も実施するなど、創業や経営革新を総合的に実施する法体系へと統合された。

[8] 創業支援のための施設は、インキュベーション施設、インキュベータ、起業支援施設など様々な呼び方があるが、本稿では固有名でないものは、すべて創業支援施設として統一している。

一方、民間では、多摩信用金庫（当時、多摩中央信用金庫）が 2001 年（平成 13）から「企業再生・創業支援」に力を入れ始める[9]。2003 年（平成 15）には、八王子市にたましんインキュベーション施設「ブルームセンター」を開設、創業間もない法人・個人を対象に、入居スペースの提供から事業面・財務面を総合的に支援する体制がとられた[10]。また、2011年（平成 23）から「ミニブルーム交流カフェ」というセミナーを自治体と連携して開催し、創業者の発掘と交流を促進した。

　そして、のちに述べるように、多摩市の創業支援政策の実現のために、2010 年（平成 22）、多摩市、多摩大学、多摩信用金庫の 3 者の連携協定を結んで 2011 年（平成 23）より永山駅前に「ビジネススクエア多摩」を本格稼働させる。多摩地域では初めてであり、全国的にもみても珍しい産官学連携での事業がスタートする。この後、多摩信用金庫は、2012年（平成 24）の調布市、日野市、翌年の瑞穂町、昭島市、立川市、翌々年の西東京市、武蔵野市、福生市と、創業支援だけでなく、事業承継等も含めた産業振興全般に関する自治体との連携を深めていくことになる。

多摩市創業支援事業開始の背景

　都心に近く情報通信に関わる事業者が多かった三鷹市や、製造業の集積があった八王子市に比べて、多摩ニュータウンを擁する住宅地というイメージが強い多摩市において創業支援事業が立ち上がる経緯を見ていこう。2001 年（平成 13）と 2006 年（平成 18）の事業所統計調査を比較してみると、多摩市の事業所は、この期間で 200 以上減っている。この数字は三多摩地域の 27 の自治体の中で 9 番目に多い。開業率を高めることは多摩市にとっても喫緊の課題となっていた。多摩市の政策における創業支援は、第四次総合計画の「新しい都市型産業の導入」、若者に対する「魅力ある雇用の確保」の具体的な施策として位置づけられた。その後、2001 年（平成 13）の「多摩市創業支援策研究会」の報告書で、

創業支援の拠点としての施設の必要性が指摘され、そのための行政の積極的な関与が提案された。この提案を基盤に、2004年（平成16）の「多摩市学校跡地施設の恒久活用方針」では、学校跡地である東永山複合施設において、起業・創業支援施設の展開を目指す方針が示された。一方、2003年（平成15）〜2004年（平成16）の総務省の地域情報化モデル事業として「eワーク情報局・多摩センター」を立ち上げ、創業および就労に関する情報の収集・分析・提供事業を行い、この事業をもとに、市内の中小企業の交流組織「多摩カンパニーオーケストラ（TCO）」が生まれた。このような多様な動きがつながり、2005年（平成17）度より、東永山複合施設において、創業支援施設の試験的運用を開始することが決定した。

試験的運用

2005年（平成17）10月4日に多摩市創業支援事業実施要綱が施行され、試験的な創業支援事業として、（1）創業、就労及び勤労者の支援のための講座事業、（2）創業、就労及び勤労者の支援のための相談事業、（3）共用会議室の開放に関する事業、（4）創業支援ブース及び創業支援ミニブースを利用した創業者育成事業を行うことになった。また、実施する施設として、東永山創業支援施設（のちにビジネススクエア多摩と命名、以下、BS多摩）が位置づけられ、運営組織として多摩市創業支援

9　長島（2021）によると、それまでは営業店の現場で創業者からの相談を受けていたが、特に創業者向けの融資商品は存在せず、現・日本政策金融公庫に紹介したり、担保や保証人を徴求したりする程度で、職員側も業務としてあまり意識しない状況だった。

10　創業支援とは直接関係ないが、ブルームセンターのある八王子市では産業活性化を目的に、2001年（平成13）「サイバーシルクロード八王子」という愛称で呼ばれることになる「首都圏情報産業特区・八王子」構想推進協議会が行政と商工会議所が主導して設立され、「ビジネスお助け隊」といった企業を引退したシニアによる企業支援組織が立ち上がった。

促進協議会（以下、協議会）を設置し、業務を委託することとなった。協議会の委員は、多摩商工会議所、多摩大学、多摩信用金庫、多摩市内企業の代表者及びオブザーバーとして多摩市くらしと文化部長（2008年（平成20）4月1日からは市民経済部長）で構成されている[11]。

　2005年（平成17）度から、創業者の事務スペースである「創業支援ブース」の貸し出し、創業・就労等に対するセミナーや相談を主な事業として行い、多摩地域の創業者、経営者の相談に対応するため、「創業サポート市民スタッフ」も公募し組織化した。2007年（平成19）度には事務局機能の強化のために、協議会事務局長を採用した。また、創業準備や創業間もない経営者に対し、机一つ分の事務スペースである「創業支援ミニブース」を設置するなど運用のなかでニーズを測っていた。

写真3　BS多摩で市長も交え、入居者どうしの交流も頻繁に行われた。

---

[11] 多摩大学の参加は、正確には多摩大学総合研究所で、研究所の助教授（当時）だった筆者が大学からの依頼で委員に就任した。この協議会に多摩大学と多摩信用金庫に参加していたことが3者協定のきっかけとなった。

本格的運用へ

　当初、試験的運用は3年間と設定され、2009年（平成21）度から本格的運用を目指していたが、結果的に東永山複合施設の暫定活用を2年間延長して準備期間とし、本格的運用は2011年（平成23）の4月という方向で決まった。この期間中、協議会は2008年（平成20）8月に、今後の創業支援事業の方向性をまとめた提案書を提出、「駅前ビルへの移転」、「産官学による運営」、「スモールビジネス支援」というコンセプトが呈示された。2009年（平成21）10月に創業支援事業の運営の枠組みとシナリオを提案した第2次報告書を市に提出した。この第2次報告書では、大学が委託先となり、金融機関と連携して運営するというシナリオと、施設候補地として永山駅至近のベルブ永山が提案された。

　2010年（平成22）、多摩大学総合研究所への委託方針が決定、補正予算が可決し、さらに多摩市、多摩大、多摩信用金庫よる3者協定「多摩123プロジェクト」が結ばれ、事業の運営体制が固まることになる。施設の場所は、候補地だったベルブ永山403号室に決定し、2011年（平成23）3月、新BS多摩が完成、東日本大震災の影響が懸念されたが、無事に4月1日にリニューアルオープンとなった。

第**3**節

多摩市と多摩信用金庫との創業支援事業の展開

　多摩市創業支援事業の政策的背景と経緯は先に述べたが、地域における創業支援のニーズについても触れておく。5年近い試験的運用は

「ベッドタウンで産業が育たない」と多摩市において、「創業したい」という気持ちや、新しい事業を生み出すポテンシャルを持った市民の存在を確認できたことが最も重要な成果となった。一方、課題も明確になり協議会はそれを4つにまとめている[12]。そのなかでもこの事業の目指すもの、実現するものとしての「構想」と誰を支援するのかという「対象」については時間をかけて検討した。

「暮らす」と「働く」が一番近くにあるまち、多摩

　多摩市の都市基盤、人口構造、産業集積の状況をみたときに、例えば大規模な製造業が立ち上がっていくというのは考えにくい。また、八王子市や三鷹市など、すでに創業支援事業や施設において、先行している自治体も近郊に存在している。そのような状況のなかで、創業支援にとどまらない広い視野で多摩市の産業政策の「大きな絵」（＝構想）を描く必要があった。そうでなければ「多摩市らしい創業支援」にならないというのが協議会としての見解であった。

　次に他の自治体ではできないものを、多摩市の強みから考えてみた。そのなかで、みえてきたのは、多摩市が「ベッドタウン」（＝住むまち）というところである。一見、この特徴は、産業集積が少ないという点で創業する環境の「弱み」にみえるかもしれない。しかし、先入観を捨てて考えてみれば、都心という、大きな市場と多くの仕事があるところに電車で30〜40分程度で直結する街は、地方都市には絶対にないビジネスに適した環境である。

　そこで、協議会が創業支援事業の「大きな絵」として掲げたのは、『「暮らす」と「働く」が一番近くにあるまち』というコンセプトである。職住近接という言葉は昔からあるが実現するのは難しいものである。なぜなら仕事（働く）は都市に集中し、住宅（暮らす）は郊外に広がっていく。これは日本全国に見られる現象であり、実際に住宅街に雇用を生み

出すことは容易ではない。ただ、職住近接という考え方には、「その街で暮らし、その街だけで勤める」という暗黙の前提があるように思えるから、これを「その街で暮らし、その街で創業し、その街に仕事の拠点を置き、そこから多様な場所で働く・稼ぐ」と定義した。つまり、多摩市に自宅があり、オフィスも市内にあるのだが、実際に仕事をしにいく場所は多様であり、顧客も広い地域に存在するというイメージである。先の多摩市の強みを活かし、現実的な「職住近接」が可能な街としてアピールし、そのようなワークスタイルをとることができる企業や事業者を育てたり、または誘致したりすることが、多摩市の産業振興の「大きな絵」になると協議会は考えた。コロナ禍を経験した今の私たちにとっては、このコンセプトが時代を先取りしたものだったということがわかるだろう。

「志ビジネスの創業者・経営者」の支援

　次に上記のコンセプトに基づき、協議会が支援すべき対象を検討した。多摩市で創業しようと考える人たちは自分の知識や経験を活かし、地域や社会のために、小規模ながらも自分のペースで仕事をしたいフリーランスや自営業、小企業を目指していた。あえて「スモールであること」にこだわっているともいえる姿勢である。協議会はこの事業体を「スモールビジネス」と呼んだ[13]。実際に協議会が行った「多摩市の産業支

---

[12] ①多摩市らしい創業支援の追求、②支援対象の明確化、③ビジネスに適切な環境の選択、④強力な運営組織・事務局の必要性という4点である。

[13] 協議会では以下の①〜⑥を「スモールビジネス」の要件として整理している。①個人事業主及び従業員5人以下の法人。業種は問わない。②自分の持っている知識、技術、経験を生かす事業で、収入よりやりがいを重視する。③あえて事業の規模を広げず、持続可能な事業を目指す。④住んでいる地域にオフィスを構えるが、仕事をする場所、稼ぐ場所は広域である。⑤仕事を通じて、地域に貢献する。⑥事業展開においてネットワークを重視し、雇用を生み出すことを目指す。

援事業・創業支援事業に関するニーズ調査」(170サンプル) では、22.9%が仮説として設定した「スモールビジネス」にあてはまった[14]。

　最終的には支援対象を「志ビジネスの創業者・経営者」という言葉で再設定した。「志ビジネス」とは、地域や社会の問題・課題を、本業を通じて解決し、新しい価値を創造しようとするビジネスを指す。これは、決して「ソーシャルビジネス」や「コミュニティビジネス」のような社会起業家やNPOの行うビジネスだけを指すのではなく、誰もがまだ解決・創造できていないことに挑戦していく「営利事業」ということを強調しており、事業内容だけでなく、組織のあり方、働き方、そして、生き方といった様々な面で、新しいスタイルを「志す」ビジネスという意味を包含している。

　多摩大学は、教育理念を「現代の志塾」と定め、教育・研究・社会貢献の全分野においての共通の考え方としている。個人の責任でないことが理由で差別を受けるというような社会の不条理をただすことに、自らの能力と技術を最大限に発揮した職業（仕事）を通じて何らかの貢献をすること、それを「志」と定義している。そういった志ある人材を少人数教育で豊かなコミュニケーションを通じて育てる意志を「塾」という言葉に込めている。協議会が定義した「スモールビジネス」はまさにこの「志」を持つビジネスだといえる。そこで、「スモール」という言葉は、ネガティブなイメージを持たれてしまう可能性があるのと、「現代の志塾」の多摩大学が運営しているということを強調する上でも、「志ビジネス」という言葉のほうがより適切であると考えたのだ[15]。

　こうして「志ビジネスの創業者・経営者」に対する支援を行うことで、「多摩で暮らし、多摩で創業し、多摩に仕事の拠点を置き、そこから多様な場所で働く・稼ぐ」という新しい職住近接の働き方を実現し、この働き方に見合った新しい郊外型の産業を育成することに挑戦しつづけることが多摩市の創業支援事業の核として設定され、この構想は現在でも引き継がれている。

BS 多摩の成果

　2011 年（平成 23）に本格運用が始まった BS 多摩という施設はその後、2019 年（平成 31）まで続くことになる。上記の構想に基づき、3 者連携の強みを活かす運営が行われた。創業相談や入居者の経営に関するサポートは多摩信用金庫が担当するインキュベーションマネージャーが務め、入居者どうしの交流、様々なセミナーやイベントの企画運営を多摩大学が担当するコミュニティマネージャーが務めた。月 1 回の 3 者による運営に関する会議や、年数回の全体の方向性に関する検討や評価を外部の有識者も入れた委員会、入居者の審査等、常に 3 者によるコミュニケーションを密に行った。このような会議は連携の主旨や形態が変わった現在でも続いている。

　施設を運営した約 10 年間のあいだに数多くの創業者を創出した。特に「志創業塾」と命名された創業希望者向けのセミナーは 15 年以上も続いており、一人の講師が担当する創業塾としては多摩地域で最長といえるだろう。

14　彼らのビジネスは、住宅関連サービス、コンサルティング・調査サービス、IT・編集サービス、小売に代表されるような「顧客の顔の見える」事業であり、仕事への意識として、収入よりやりがいを重視している。無理に規模を拡大するようなこともなく、地域に対する貢献意識も高い。だからといって、住んでいる地域だけを対象とした事業を行っているわけではなく、広域で展開している方々が多い。一方、多様な人たちとつながりながら、事業を展開しようとするネットワーク志向が強く、同業種、異業種との交流や協働への積極性を感じとることができた。また、多摩市の多様な人材を雇用する存在としても期待できるという可能性も得た。

15　「スモールビジネス」の 6 条件を勘案し、「志ビジネス」の定義を 4 条件に絞った。①地域や社会の問題・課題を、本業を通じて解決し、新しい価値を創造しようとするビジネス、②仕事の拠点を多摩市に置きながらも、広域で稼ぐビジネス、③自分の能力や経験を生かした身の丈ビジネス、④新しい働き方を創造し、許容するビジネス

転換点

多摩市における創業支援施設設置以降、2013 年（平成 25）に町田市、2014 年（平成 26）に小金井市、2015 年（平成 27）に日野市と、自治体主導型施設の設置が続いた。

自治体以外では、2010 年（平成 22）年に中小企業振興公社が昭島市に、2011 年（平成 23）に電気通信大学が調布市に、2015 年（平成 27）に中小企業基盤整備機構が東大和市にそれぞれ創業支援施設を設置している[16]。

後述する 2013 年（平成 25）からのインキュベーション HUB 推進プロジェクトによって、民間の創業支援機関（自らも創業者の場合が多い）による創業支援事業が多摩地域各地で展開され、そのような事業者のなかには、上記の自治体主導型施設の運営を受託するところも増えていく。さらに 2015 年（平成 27）からスタートした東京都のインキュベーション施設設置運営補助金や 2017 年（平成 29）からスタートした多摩ものづくり型創業支援施設整備補助助金は、民間による創業施設開設の後押しとなった[17]。

また、施設の内容も多様化し、洗練されていく。味気のない個室やブースではなく、デザイン性にすぐれた快適な空間と利用者どうしのコミュニケーションを促すカフェスペース等が設けられ、閉ざされたオフィス空間ではなく、コワーキングスペースとしてオープンな場所で仕事をするような施設が増えていく。また、3D プリンターを常備したり、シェアキッチンを備えたりするような、特定の業種を意識した特徴ある施設が増えていく。また、利用料金も非常に安価で都心部で月額 1〜2 万円という施設も出てくる。

BS 多摩が 6 年目を迎えた 2016 年（平成 28）12 月には、多摩地域においては創業支援施設、レンタルオフィスをあわせて 45 を超える施設が立地していた[18]。

そのような流れのなかで、BS多摩は一定の役割を終えたとして、2019年（平成31）年3月末で施設を閉鎖し、BS多摩という施設運営を核とする事業から、創業者を生み出す環境づくりの事業へ転換することとなった。支援の対象も創業支援にとどまらず、ビジネス支援（経営支援）へと拡大を図り、多摩市内で創業支援やビジネスサポート活動を行うビジネス支援者等の育成・支援や、事業者の交流機会の提供などを行うこととした。実際に多摩市内にも民間の施設が増えていき、多摩市はこれらの施設を「多摩市認定ビジネス支援施設」として認定することで連携を図った。

創業支援から産業振興へ

　このような方向性を「BS多摩プラットフォーム」と名づけ、これを推

16　最近では東京都と（公財）東京都中小企業振興公社が、2020年（令和2）7月に多摩地域の創業支援拠点となる「TOKYO創業ステーションTAMA」を立川駅近隣の新街区「GREEN SPRINGS（グリーンスプリングス）」内に開設した。多摩信用金庫も2023年（令和4）、旧本店ビルをTAMA MIRAI SQUAREとしてリニューアルし、その中に『me:rise』という創業支援施設を自ら立ち上げた。

17　2016年（平成28）に三鷹市SOHOパイロットオフィスがリニューアル、2017年（平成29）度に小金井市のJR駅高架下のPO-TO（ポート）、女性創業支援の拠点として、多摩市にCoCoプレイス、立川市にCs Tachikawaが生まれた。2019年（令和元）に町田市にBUSO AGORA、2020年（令和2）に三鷹市に三鷹インキュベース、八王子市にSeeds Post、2021年（令和3）度に託児付き施設として武蔵野市にコワーキングスペースBreathが設置された。2023年（令和5）には稲城市にSHARE DEPARTMENTが開設された。
　　また、ものづくりに特化した創業支援施設として、2017年（平成29）度に八王子市のfabbit八王子、立川市に3Dプリンター等を設置したシェア工房Tschool（ツクール）、2018年（平成30）度に小金井市に業務用厨房機器を設置したシェアキッチンMA-TO（マート）が整備されている。また、市町村の中にも独自の創業支援施設設置補助金を用意するところも出てくる。2016年（平成28）度末、武蔵野市において4施設がオープンした。この4施設は、それぞれ異なる民間事業者が単独で運営するもので、武蔵野市がイニシャルコストの一部を補助することで施設の開設を後押しした。西東京市でも西東京市創業サポート施設開設支援事業として、2017年（平成29）度に、2件の創業支援施設が誕生した。

18　多摩市市民経済部　経済観光課（2018）。多摩市創業支援事業のこれまでの総括より引用。

進する3者連携の枠組みも、会則を定め、BS多摩プラットフォーム推進協議会として組織化を行った。これに伴い、これまでの連携協定書の内容を見直し、2020年（令和2）3月31日付けで、新たに「創業支援・ビジネス支援事業に関する連携協定書」を締結することとなった。さらに2021年（令和3）度より、多摩市において、産業全体に係る計画（以下、マスタープラン）を、2025年（令和7）を目途に策定することととなり、BS多摩プラットフォーム推進協議会を発展的に解消して新たに多摩市産業振興推進会議を設置し、推進会議を中心に策定することとなった。これに伴い三者連携協定についても再度内容を見直し、これまでの三者連携事業に加え、多摩市全体の産業振興についても推進会議及びマスタープランの策定を通して連携・協力していくこととなった。

このように、創業支援事業からスタートした3者連携は、約10年の歩みのなかで、産業振興全体をつかさどる枠組みへと変化していった。これは初期の協議会のころから目指していたことで、多摩市の将来の中小企業政策、産業政策のあり方、そして、未来の多摩市のまちのあり方を「走りながらつくりあげていく」という姿勢の体現でもあった。

第4節

創業支援プラットフォームの構築

創業支援センター TAMA の設立

BS多摩が誕生したころ、自治体にしろ、民間にしろ、創業支援機関は、機能面にて「ハード」支援を行うものと「ソフト」支援を行うもの、

もしくはその両方の支援を行っているものに分類することができたが、共通するのは、個別の創業支援機関単位で創業者に対する支援を行っていたということであった。点での支援が行われており、面での支援という形になっていなかった。

そのような状況のなかで東京都の「インキュベーションHUB推進プロジェクト」事業が2013年（平成25）からスタートすることになった[19]。この事業は創業支援機関どうしをつなげて、創業者の発掘から育成までの環境づくりを行う補助事業である。これに多摩信用金庫が多摩大学をパートナーとして応募し採択される。「創業支援センターTAMA」という名の運営組織を立上げ、個々に点在する創業支援機関のネットワーク化によるスケールメリットを活用し、連携体の拡大を図りながら多摩地域における「創業そのものを増やす取組み」を推進していくことを目的とした。

2013年（平成25）度から2015年（平成28）度の事業期間のなかで、多摩地域の創業支援の環境は大きく変わることになる。

創業支援センターTAMAは49の創業支援機関と連携覚書を締結、これらの機関が企画する講座に対する費用負担や広報支援をおこない、潜在的な創業者の掘り起こしや創業に向けての啓発、創業希望者に対する立ち上げ期に必要な教育、創業まもない事業者への経営安定に向けての教育を実施した。また、連携機関とのミーティングやシンポジウムを開催しネットワーク化を進めた[20]。

---

[19] 「この事業は、高い支援能力・ノウハウを有するインキュベータが中心となって、複数のインキュベータの連携体（＝インキュベーションHUB）を構築し、それぞれの資源を活用し合いながら、創業予定者の発掘・育成から成長促進までの支援を一体的に行う取組を、東京都が後押しするものです。こうした創業者のライフサイクルを通した総合的な創業支援環境づくりの整備（創業エコシステムの構築）に向けた事業提案を募集し、優れた事業提案を行った事業者を、審査により選定します。選定した事業者に対して、東京都は3か年にわたりその実施に要した経費の一部を補助します。」東京都産業労働局HPより。
https://www.sangyo-rodo.metro.tokyo.lg.jp/chushou/shoko/sougyou/hub　2023年11月1日アクセス

[20] 創業支援センターTAMA（2016）。3年間で107の講座（のべ1680名受講）、個別相談234名（のべ355回）、連携機関ミーティング・シンポジウム6回開催。

この事業の直接的な成果として、目標としていた創業者 1,000 人の創出を達成、創業補助金の採択数や融資企業件数は増加した。創業支援施設も官民合わせて 3 年間で 11 施設が設置された。

　波及的成果として、創業支援に関する自治体間の情報交換とノウハウ共有が進んだことも大きい。ミーティング等で自治体と民間の創業支援機関が出会い、地域を超えた連携が生まれた[21] だけでなく、自治体どうしの連携も生まれた[22]。創業支援センター TAMA の連携と働きかけを通じて、産業競争力強化法[23] に基づく認定を受けた市区町村が 24 に達した。

　このように、インキュベーション HUB 推進プロジェクトによって、今まで創業希望者が頼ることができるのは金融機関だけだったのが、民間の創業支援機関、各地の自治体と多様になり、創業のための知識やスキルを学べる場や機会も増えた。何よりもそれらの創業支援の担い手がつながり、お互いに顔が見えている状態であることは創業支援のプラットフォームが構築されたといえるだろう。

　本事業が実施された期間の社会的背景を考えると、創業支援にとっては追い風の時期だったといえる。リーマンショックの影響が薄れ、国や東京都の創業支援策が充実していった時期であったことが大きい。さらにいえば多摩地域では、21 世紀の初めから始まっていた創業支援機関や創業支援施設・SOHO 施設等の登場が、これらを活用する基盤になった。もちろん、こういった政策的背景や担い手の集積があっても、それらをつなげて編集し、共感できるビジョンに落とし込んでいかなければ

---

[21] 実際に三鷹市を拠点にしていた HerbNet が西東京市の創業スクールで講師を務め、女性起業支援に力を入れようとしていた西東京市と意気投合し、西東京市から創業スクール事業を受託した例がある。

[22] 立川市、昭島市、福生市という隣接する自治体が連携し、三市創業支援協議会 T.A.F を立ち上げ、広域連携で多様な支援メニューを共有する取り組みを行った。

[23] 本制度のうち、地域における創業の促進については、市区町村が民間の創業支援等事業者（地域金融機関、NPO 法人、商工会議所・商工会等）と連携し、ワンストップ相談窓口の設置、創業セミナーの開催、起業家教育事業等の創業支援及び創業機運の醸成を実施する「創業支援等事業計画」について、国が認定することなっている。

いけない。その役割を担い、まさに「ハブ」になったのは本事業の主体である多摩信用金庫であることは疑う余地はないだろう。多摩信用金庫が自治体と産業振興等の連携協定を結び、具体的な共同事業を展開することで、創業支援のネットワーク化を行い、プラットフォーム構築を推進できたといえる。

　このプラットフォームの成果をマクロの統計でも見てみよう。表2は「平成26年経済センサス基礎調査」の民営事業所の異動状況をまとめたものである。2012年（平成24）から調査時点の2014年（平成26）の期間での異動なので、本事業が実施されている時期に最も近いころの調査結果である。2009年（平成21）時よりも、総数としては42万の事業所が減っているが、異動状況をみると、廃業が前回と同じ100万程度に対して、新設事業所も40万程度増えているのが特徴的である。

　事業所全体に占める新設事業所の割合は全国で17.7％である。都道府県別にみると東京都は24.3％で全国トップであり、25.2％という特別区の存在が牽引している。島しょ部を除いた多摩地域はというと、20.6％と特別区や東京都全体からすれば相対的に低い数字だが、全国の結果に比べれば高い結果といえる。これは、経済状況の好転、創業支援制度の充実等、様々な要因が考えられ、一概にその理由を特定できないが、多摩地域における創業プラットフォーム構築の成果をとらえる一つの指標にはなるだろう。

表2　「平成26年経済センサス基礎調査」　民営事業所の異動状況

地域	事業所総数	存続事業所	新設事業所	廃業事業所	総数における新設事業所の割合（％）
全国	5,779,072	4,756,371	1,022,701	1,012,118	17.7
東京都	720,169	544,939	175,230	156,909	24.3
特別区部	579,971	433,591	146,380	130,074	25.2
多摩地域	140,908	111,871	29,037	26,960	20.6

郊外のワークスタイルを創造する

創業予定者・希望者の特徴

　インキュベーションHUB推進プロジェクトでは、3年間でのべ100近い講座やセミナーが実施され、その参加者への事後のアンケート調査を行っていた[24]。その結果から、多摩地域の創業予定者・希望者において特徴的なのは、女性が多く、年齢的には30・40代が中心であった。すでにフリーランスのように、何かしら事業や活動をしている人が多く、その次に正社員として働く人が多かった。創業の動機としては、お金や名誉、資産運用といった目に見える報酬よりも、他者や外に向かう「社会貢献」や自分や内に向かう「自己実現」といったような志向性を持ち、働きがいや生きがい等の目に見えないものを求める人が多い。また、ワークライフバランスを意識して、家族のそばで仕事がしたいという意向が強かった。事業内容としては、複合的なサービス業が多く、そこには物販や、教育、コンサルティングといった要素が入る。男性ではICT関連、女性では生活関連サービスといった性別による違いもみえる。また、顧客は近隣市町村の一般消費者をターゲットにしたビジネスが大半を占めて、より地域密着でエンドユーザー志向であり、規模を求めず個人経営で創業するイメージをもっている人が多い。

創業実現者の傾向

　それでは実際に創業を実現したのはどのような人たちだろうか。イン

キュベーションHUB推進プロジェクト期間中に実際に創業した人たちの調査も行った[25]。創業実現者たちは、男性の割合が多く、事業内容としては「研究・専門・技術サービス業」で、コンサルタントや士業の人たちが中心であった。コンサルタントのような業種が多くなるのは、高度な知識や経験、資格などが必要なサービス業で、身一つでできて大きな投資がいらず、「その人でなければ」という差別化しやすい業種であることと、仕事自体はパソコンひとつあれば十分にできるので自宅でも、地域の創業支援施設やコワーキングスペースでも職住近接が可能であることも大きいと考える。一方で、創業が身近になり、特に女性やコミュニティビジネスにおいて、創業希望者の数は増えたが、実際に創業し持続している層となると、女性やコミュニティビジネスは苦戦している。当然、成長して大きくなるベンチャー型の創業者も少なかった。

自己実現型生業的創業者

　上記のような創業者の特徴は、多摩市の創業支援事業の対象となった「スモールビジネス」や「志ビジネス」の特徴と重なる。この傾向は、2014 年（平成 26）に多摩大学と多摩信用金庫で実施した『多摩地域の創業実態に関する調査研究』でも指摘されていることである[26]。図1のように、多摩地域の創業者を成長志向・拡大志向のビジネスシステムへ適応していくか否かという軸と、創業そのものの目的として生計・生存の色が強いか、自己表現の色が強いかという軸で分類している。
　そのうえで非急成長志向、小規模志向であり、生計を立てるという前

---

[24] ここでの記述も創業支援センターTAMA（2016）に基づく。
[25] 創業支援センターTAMA事務局が、創業塾、セミナー、個別相談に参加した受講者・相談者を受けつけたときに記入する「創業支援受付票」を集計し、多摩信用金庫職員が何らかの形で「創業した」と確認・確信できている者を創業者として位置づけて集計している。
[26] 多摩信用金庫・多摩大学地域活性化マネジメントセンター（2015）、pp.101-102

提はありながらも自己実現を主たる創業の目的としている創業者を「自己実現型生業的創業者」として、「地域密着性、社会貢献性」、「非急成長志向、小規模志向」、「創業者の個性を色濃く反映した事業」「自己ライフスタイル適合的な働き方」という4つの特徴をあげている。

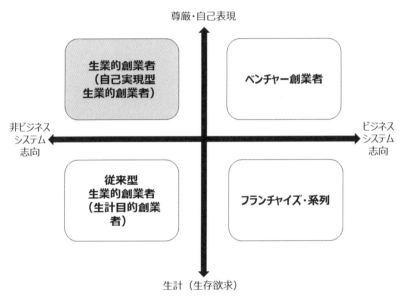

図1　多摩地域の創業者の位置づけ

　2010年代という時代は、多摩地域において、「創業」は働き方のひとつの選択肢として認識されてきているだけでなく、「自己実現」や「社会貢献」といった自身の価値観を反映し、その志向性を実現するための手段となっていった時期といえる。顧客や市場のニーズといったビジネス上の必要からではなく、自分らしいライフスタイルの実現のために職住近接の地域密着型ビジネスを展開したいという欲求は、逆説的に言え

ば、多摩地域が東京の都心の郊外として常に大きな需要と人、モノ、カネという経営資源に困らない場所だったからこそ生まれた志向といえる。その非ビジネスシステム志向が成功しているかといえば決してそう言えない状況でもあることも否定できない[27]。例えそうであったとしても、郊外の新しいワークスタイルやライフスタイルを生み出そうとする創業支援は、「産業振興」という文脈にとどまらず、「生活振興」という構想を含んでいたからこそ、民間の創業支援機関や自治体、金融機関、大学を巻き込み、ひとつのムーブメントに成長していったといえるだろう。

　そして、2020年代に入り、私たちはコロナ禍というものを体験した。新たな郊外のワークスタイルと創造する基盤がつくられたところに、新たな時代の流れがその基盤を飲み込み、その形を変えた。ある意味、強制的に体験したリモートワークや職住近接のワークスタイルは、次の創業のあり方を問いはじめている。どのような時代認識が次のワークスタイルを創造していくのか。それは常に歴史的な視点を持ちながら繰り返される社会工学的な実践の先に見えてくるのだ。

---

[27] 多摩大学地域活性化マネジメントセンター（2017）では、多摩地域における「生業的創業者」の創業後の萌芽期・成長初期の実態を把握する調査を行っている。収入やワークライフバランスなど、創業前の理想を実現できたかというとそうではないが、創業したことへの満足度は高いという結果となった。経営上のチャンスやピンチは、どちらでも資金、人材、顧客という3つの要素が中心で、1年目に集中している。地域の様々な主体と連携しながら、顧客との関係づくりに取り組む姿や、競合に対しても、競争における優位性よりも、地域活性化における仲間としてとらえるなどの志向性は、どちらかといえば企業家的ではない。このような多摩地域らしさは積極的に評価できるものの、経営の安定化や成長という点では物足りない部分もある。今後の創業支援・成長支援は、成長意欲の喚起、事業や商品の見直し、顧客との対話や地域連携を促し、「生業的創業者」からの「卒業」を支援することも視野に入れる必要があるとの指摘がされている。

引用・参考文献

小林伸生 「起業化支援政策・施設の変遷と展望」『経済学論究』関西学院大学、73 巻 3 号、pp.161-198、2019

創業支援センターTAMA『多摩創業支援レポート〜新しい創業支援スタイルを目指して〜』創業支援センターTAMA、2016 年 11 月

関満博・松永桂子編『震災復興と地域産業 3―生産・生活・安全を支える「道の駅」』新評論、2013

長島剛 「ベッドタウンにおける地域金融機関の創業支援」『情報の科学と技術』71 巻 10 号、2021、pp.445-451

多摩信用金庫・多摩大学地域活性化マネジメントセンター『多摩地域の創業実態に関する調査研究報告書』多摩信用金庫、2015

多摩市市民経済部 経済観光課『多摩市創業支援事業 中期計画（平成 29 年度〜平成 33 年度)』2018 年 2 月

多摩市市民経済部 経済観光課『多摩市創業・経営支援事業 中期計画（令和 4 年度〜令和 8 年度)』2022 年 2 月

多摩市創業支援促進協議会『今後の多摩市創業支援事業の方向性に関する報告書』2008 年 8 月（第 1 次報告書）

多摩市創業支援促進協議会『多摩市創業支援事業の枠組みに関する検討報告書』2009 年 8 月（第 2 次報告書）

多摩大学総合研究所『多摩市創業支援事業 事業計画書〜ビジネススクエア多摩運営計画〜および 2011 年度事業計画』2011 年 3 月

多摩大学地域活性化マネジメントセンター『2016 年度多摩地域の創業実態に関する調査研究報告書』多摩大学、2017

安田武彦「起業支援策の展開と今後」『情報の科学と技術』71 巻 10 号、2021、pp.422-427

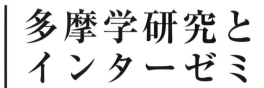

多摩学研究と
インターゼミ

荻野 博司

多摩学事始め

久恒 啓一

多摩大鳥瞰図絵　　　　　　　　　　　　作成：多摩大学

　日本航空に勤務していた 30 代の頃、オーストラリアへの新しい路線の開拓のため、当時広報部員だった私は、雑誌の編集者、ライター、カメラマン総勢 20 人ほどで 2 週間のプレスツアーを企画したことがある。
　この時、ある実力派カメラマンの行動に強い印象を受けた。ヨットでは必ず一番高い場所に陣取っているし、バス旅行では運転席に接近した

席を確保していた。その理由を聞くと、一番見晴らしがいい所で仕事をするのだという答えであり、感心したことを思い出す。

鳥瞰図絵師

　江戸時代に鳥瞰図絵師という職業があった。風景をまるで鳥になって上空から見下ろすように描くことができる絵描きである。この手法は屏風に描かれた絵巻物を源流としており、全国の名所をこの手法を使って描いた浮世絵は今も多くの人を魅了している。

　山や川、都市の建物などが並んでいる順序は正しいが、1枚に収めるためにゆがんでいることもこの手法の特徴の1つだ。この図絵は全体を俯瞰しており、位置関係が一望できるので人気があった。

　大正時代にこの手法を発展させた吉田初三郎という鳥瞰図絵師がいて、全国の景勝地を描き観光ブームに火をつけた。「大正の広重」と称したこの人の展覧イベントを見たことがあるが、錦絵のような鮮やかな色彩と、富士山や見えるはずのない米国、樺太を描くなどの大胆なデフォルメという手法を駆使しているため、世界や日本の中での景勝地の位置がよく理解できた気になった。この絵描きは見えるはずのない高みに視点を定め、風景を切り取る作業をしたのである。どうしてそういうことができたのだろうか、と不思議な気持ちで感動に浸った。

　私たちが風景を見る時は、山の3合目より5合目の方が風景の持つ意味がよく理解できる。7合目を経て頂上に至ると、眼下に素晴らしい全景が広がって気持ちがいい。もっと高い視点はどこか、空を自由に飛んでいる鳥の視点だ。その上はヘリコプターから見下ろす視点、そして飛行機になるが、このあたりになると景色には現実感が乏しくなる。さらに上昇すると人工衛星、宇宙船となり最後は神の目に行き着く。

　鳥瞰図絵という手法は、航空機の登場で廃れた。しかし、航空写真で風景を切り取ったら分かるのかという問題がある。写真は写実をテーマ

としているから、事実や実態を描くのが目的だ。だが、実態をそのまま、「科学的」に見せられても私たちは理解できるのだろうか。

　視点が高すぎても低すぎても私たちにはよく分からない。人間の頭のレベルに近い適度な高度という視点が必要なのだ。鳥瞰という手法で絵を構成し、「情報」を分かりやすい形で提供したから図絵というように「図」という言葉が入っているののだろう。情報というものはそのままの形ではなく、料理やデフォルメをしないと人間の頭の中には入らない。

現代の鳥瞰図絵師

　昔の人は目に見える現実世界を想像力を駆使して描いていたのだが、私たちは現実世界だけでなく、目に見えない情報という世界に関しても鳥瞰図絵師として描いていく必要がある。本社や経営トップが持っている情報をわかりやすくまとめて企業の最前線で働く社員に送れば、考える社員を育て、増やすことができる。

　情報は穴を掘っていっても、上にのぼっていってもキャッチすることができるが、穴に入るだけでは専門バカのような存在になってしまう恐れがある。上下両方向にバランスよく情報のアンテナを張り巡らすことができれば、情報視力を高めることができるはずだ。

　組織は個人の集まりだから、力量のある人が集まってくれば強くなる。ではどんな人が力量があるのかといえば、若くても自分よりもかなり上の役職の視点で判断ができる人だ。つまり、見晴らしの良い人である。見晴らしの良い部下を持つと、上司は部下を監督・指導する時間を削減できる。その結果、玉突き現象が起こって、その上司ももう少し高い視点で仕事をすることができるようになっていく。

　経営者に近い視点で判断できる社員がたくさん、次から次へと出てくる。そんな組織が、これからは強みを発揮するのではないか。本来、経営者は鳥瞰している人しかなれなかったはずなのだ。経営者にふさわし

いのは、目線の高さを自由自在に変えられる人だろう。

　ただし、空からばかり見ていると、大きな話しかできなくなって、リアリティがなくなってしまう。高い位置に視線を固定すると墜落する。鳥の目を持つ人こそ、現場を大切にする必要がある。

　当然のことだが、高いところに登って目線の位置を高めれば、物事の見晴らしは格段に良くなる。それでは、目線の位置はどの程度まで高めればいいのか。

　つま先立ちして背伸びをすると、目線の位置はちょっとだけ高くなるが。でもその程度では、あまり見晴らしは良くはならない。かといって、高度数万メートルの軌道に乗る人工衛星からの視点では少し高すぎる。あまり高くなりすぎると、目に映る光景が日常生活から離れてしまい、通常のビジネスではあまり有効ではない。目線は高ければ高いほどいいというものでもない。

　ちょうどいい高さは鳥の目線ではないか。空を飛んでいる鳥は、街並みも田園の広がりもよく見渡すことができ、それでいて、ぐっと目を凝らしたり、高度を下げたりしていけば、地表の細かな部分も良く見える。

　気流に乗って悠々と周回しながら、めざとく地上の小動物をとらえる鳶や鷹などがその典型だ。全体を見渡しながら、細かい部分もよく見えている。

　私たちが日頃入手できる情報というのは、ほとんどが断片的なものだ。この断片をただ見ているのは、いわば地面を這いつくばっている虫の視点である。迷路に迷い込んでしまうだけで、一向に全体像をつかむことができない。

　ビジネスの現場では、情報の断片を組み合わせて構想を練ったり、シミュレーションしたり、さらにその結果を検証することが求められているのだが、残念ながら単に頭の中で漫然と考えているだけでは間に合わない。できるだけ鳥瞰的にビジュアル化して、人間の頭が効率的に働くような仕掛けが必要である。

虫の目をもって地上で這いつくばって動いている限り全体像は見えてこない。足は大地についていても鳥の目を持つことはビジネスの成功に欠かせない。鳥の目は自分のいる位置を全体の中で相対化してくれる。自分の位置をつかみ、問題を高い次元で解決することが重要だ。現代の仕事師は、情報の鳥瞰図絵師となって、眼前の仕事に取り組みたいものである。

多摩学の発見——多摩大鳥瞰図絵

「多摩」の鳥瞰図絵（冒頭に掲載）をつくることになった。関係者が集まって、最初の絵図案をもとにアイデアを出し合ったが、それは笑いの多い、わくわくするような時間だった。

多摩という地域はどこを指すのだろうか。諸説あるが、東西では東の東京世田谷あたりから西は富士山に迫るあたりまで、南北は秩父山系から南は東京湾、相模湾までの広大な地域、これを仮に「大多摩」と呼んでみようか。この地域は現在では、東西に中央自動車道、東名高速、新東名、中央線、京王線、小田急線、東海道新幹線などが通り、南北には多摩川と相模川が流れている。歴史的にも興味深い地域でもある。いたるところに散在する万葉集の歌碑群、東国から九州の警護に行かされた防人が通った多摩よこやまの道、「いざ鎌倉」の鎌倉街道、横浜と八王子を結んだ文明開化の「絹の道」、新撰組（新選組）から自由民権運動への流れ、昭和の開発を彩った多摩ニュータウン……。

大学のある多摩市を中心において、多摩川、相模川、東京、横浜、鎌倉、八王子、東京湾、相模湾、木更津、JR東海道線、JR横浜線、JR中央線、京王線、小田急線、鎌倉街道、九段、湘南、品川、府中、調布、立川、多摩ニュータウン、相模原、町田、丹沢山渓、富士山、ユーラシア大陸、などを上空から鳥の目で眺めた風景を描く。なかなか難しい仕事だったが、「多摩大鳥瞰図絵」が初めて姿を現すことになった。

東京西部地区、23区外を指す東京都下という「辺境の多摩」ではな

く、日本と世界の中心に多摩があると考えると、東京は出稼ぎにいく場所とみえる。空の羽田空港と海の横浜港から世界につながっている。沸騰する日本海の彼方に中国、韓国、北朝鮮、ロシアなどを擁するダイナミズムあふれるユーラシア大陸が視野に入る。

　少なく見積もっても人口400万人以上、12万社以上の企業が存在するこの多摩を、地域性（ローカリティ）と世界性（グローバリティ）を具備する地域としてとらえ直す「多摩グローカリティ」という視点がこの鳥瞰図絵から浮かんでくる。

　「多摩」という言葉のみを冠した唯一の大学として1989年（平成元）4月にこの地に誕生した多摩大学は、「実学志向の大学」を標榜してきたが、「今を生きる時代についての認識を深め、課題解決能力を高めること」を実学と再定義している。その上で大学のアイデンティティの確立のためにも、「多摩学」という実学に地域とともに接近していくことになった。

　専任教員が担当するホームゼミ、1年生を対象に行われる、導入教育としてのプレゼミ、そして寺島実郎学長が直接指導するインターゼミ（社会工学研究会）など、様々な形で、多摩をフィールドに地域と協力しながら教育活動を活発に行う方向が明確にみえてきている。また教員の間にも本来の経営と情報に関する専門分野研究で培った視点で多摩をとらえ直す機運があり、教育と研究の一体的な連携へ向けてベクトルが合いつつある。

　もともとこの地域には多様な形で存在する歴史と地勢、文化と風俗、産業と社会などに関する研究者・実務家による膨大な研究と活動の蓄積がある。その上に更に地道に実績を積み重ねるならば、まだまだ茫漠としている「多摩学」のイメージも、しだいにその輪郭がみえてくるのではないだろうか。

　産業界、自治体、学界等が鳥瞰的な視点をもって連携し、地域活性化を睨んだ実学としての「多摩学」の構築に向けて、力を合わせ相乗効果を高めていきたいものである。

多摩地域の金融機関史から見る多摩学

長島　剛

　現在都銀になっている銀行も歴史を紐解くと、設立当初は地元地域や企業の課題解決からスタートしている。地域のニーズに応え、地域の経済を守り発展させていくためにまず必要なのは、金融業務の拠点となる店舗を作っていくことであった。本節では、多摩地域にある金融機関（銀行、信金、農協、郵便局）の歴史や店舗展開について地域や社会の変容とともに振り返り、地域の中で果たしてきた金融機関の役割の変遷と展望について考察する。なお郵便局については、ゆうちょ銀行の金融商品の販売代理店として金融窓口事業を行っているため、本節ではひとつの金融機関として扱う。

多摩地域を支える金融機関

　2022 年（令和 4）3 月末現在、多摩地域で預金を取扱う店舗は 934 を数える。図 1 は、店舗が 10 店舗以上ある金融機関ごとに抽出し比較したものである。農協は 10 農協あるが、営業地区の競合がないことから、ひとつの金融機関として数えた。店舗数が最も多いのは、圧倒的に郵便局で、417 店舗。次いで、農協が 91 店舗、多摩信金 78 店舗、きらぼし銀行 45 店舗、西武信金 36 店舗。4 つの都銀が続いたあとに青梅信金の 26 店舗となる。多摩地域に本店を構えるのは、多摩信金と青梅信金、各農協になるが、きらぼし銀行や西武信金などは、多摩地域に本店はない

が一定割合の店舗をもっている。

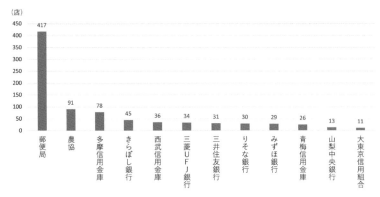

図1　多摩地域に10店舗以上ある金融機関

出所　日本金融通信社『日本金融年鑑』に基づき筆者作成

多摩地域にある金融機関業態別店舗数比較 (図2)

　1992年（平成4）と2022年（令和4）の多摩地域における金融機関業態別店舗数を比較してみると、この30年間で都銀、信組、農協の店舗数が大幅に減少したことが分かる。信金の数は変わらず、地方銀行と郵便局の店舗数は逆に増えている。金融機関全体として見ると、多摩地域の金融機関の店舗は89店舗減少している。1990年代初頭、バブル経済崩壊に伴い、銀行の合併・統合が相次いだ。さらに、2008年（平成20）のリーマンショック以降は、各メガバンクではコスト削減のための店舗統廃合、ATMと人員の削減が進む。多摩地域でも2017年（平成29）頃から、「店舗内店舗」の形で近隣の主要店舗内に機能を移し、法人向けの窓口業務も八王子・立川・調布・町田・武蔵野等を中心に集約し続けている。これまで金融機関の強みとしてきた店舗の立地の良さと充実した店舗網は、縮小の方向に舵が切られている。今年（2023年）に入ってからも統廃合はさらに進んでいる。

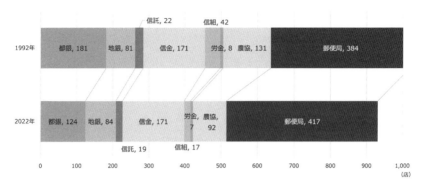

図2　多摩地域にある金融機関業態別店舗数推移

出所　日本金融通信社『日本金融年鑑』に基づき筆者作成

多摩地域の金融機関史

　多摩地域の金融機関の誕生は、明治時代に遡る。1853 年（嘉永 6）、ペリーの黒船来航をきっかけに 1859 年（安政 6）に横浜港が開港し欧米との貿易が始まり、これが八王子をはじめとする武蔵国にも大きな影響を及ぼした。当時は、養蚕や製糸、織物業が盛んであり、八王子から横浜へ至る浜街道（絹の道）は生糸の流通だけでなく、欧米の品々や文化ももたらした。「啓蒙思想」は多摩地域に拡がり自由民権運動がおこることとなった。

　1871 年（明治 4）に、東京・京都・大阪の 3 府に明治政府直轄で設置された「郵便役所」（現在の郵便局）は、全国の主要都市にも順次設置されていった。しかし当時の政府は財政難のため、各地域の名士に土地と屋敷の一部を無償で提供させ、代わりに「郵便取扱役」を任命し「公務」として郵便業務を請け負わせた。この流れは多摩地域にも及び、1872 年（明治 5）、甲州街道や青梅街道沿いの要所 8 か所に郵便取扱所が設置され、1908 年（明治 41）までに 19 局となった。

　多摩地域最初の銀行は、1878 年（明治 11）に八王子横山宿に創立し

た「第三十六国立銀行」である。地元製糸業の資金需要に応え、産業と地域経済の活性化に尽力した。第三十六国立銀行の設立を皮切りに、多摩地域に銀行の設立が続く。1895 年（明治 28）の日清戦争後、再び銀行設立ラッシュを迎えたが、その後の恐慌などの影響により破綻や合併が相次いだ。そして国立銀行から普通銀行へと転換した第三十六銀行と武陽銀行の二つに集約されていく。やがて、地元由来の銀行は時代の流れの中で統廃合を重ねながら、現在のメガバンクへと変遷していく。

　明治期から昭和のはじめに至る頃までは、銀行から融資を受けられるのは財閥や大企業と一部の中小企業に限られていた。1930 年（昭和 5）、立川に陸軍飛行第五連隊が設置され、多摩地域には航空機関連などの軍需産業の工場が増加していく。この時期の中小規模の事業者の増加は、産業組合への需要を高め、1920 ～ 40 年代までに今日の多摩地域の主な地域金融機関の系譜である 7 つの信組が組織されている。青梅町信組（青梅信金の前身）、福生町信組（西武信金の前身の一つ）、立川信組（多摩中央信金の前身）、武蔵野町信組（太平信金の前身）、八王子信組（八王子信金の前身）、町田町信組、信金への系譜を辿らなかった八王子信用購買組合（振興信組の前身）である。こうした動きは、結果として多摩地域への中小企業集積をもたらした。多摩地域の農協は、1940 年代には主な村ごとに 70 以上あった。1950 年代以降 1998 年度までに合併を重ね、現在 10 の総合農協となっている。

金融機関の躍進期

　戦後から高度経済成長期にかけて、多摩地域には東京 23 区から溢れた人口が流入し、急速にかつ無秩序な宅地開発が進んだ。乱開発の防止と、急増する人口の受け皿として、1965 年（昭和 40）、八王子・町田・多摩・稲城の 4 市にわたる多摩丘陵のニュータウン開発計画がスタートした。東京のベッドタウンとしての郊外型のライフスタイルが作られて

いく。また、東京 23 区や京浜工業地帯からの工場移転による大規模工場などの集積が進み、多くの工業団地が形成されていった。街の発展とともに道路や鉄道なども次々と整備されるが、この時期のインフラ整備には郵便貯金が活用された。便利な暮らしに合わせて当然資金の流れも活発になり、金融機関はこぞって店舗や店外ATMを増やし、預金と融資の量も右肩上がりに増えて躍進していった時代である。給与振込がより一般化し、公共料金の口座振替やクレジットカードの普及により、住民が店舗を利用する機会が増えていった。

金融機関の混迷期

　1990 年代に入りバブル景気が終焉を迎え、経済成長が停滞、成熟社会へ向かっている現在の状況を混迷期とした。価値観、生活様式や消費行動は多様化し、少子高齢化もさらに進んでいく。多摩地域からは百貨店が撤退し、大学も徐々に都心への回帰を図っている。大手事業所は量産工場から研究開発拠点へと役割を変え、資金需要は減少傾向となっている。また、宅地開発と農地保全の両側面の課題も出ていた。この時期の地域金融機関を見てみると、2001 年（平成 13）に、振興信組が大東京信組に 6 店舗を事業譲渡している。2006 年（平成 18）には、多摩中央、太平、八王子の 3 信金が合併し、多摩信金へ。町田町信組は改称、合併を経て八千代信金となり、のちに八千代銀行に普銀転換している。この時期、多摩地域では西武信金と多摩信金が、企業や地域の課題に寄り添い、地域の資金を循環させる活動に本腰を入れていった。また、農協は都市農業を守るため、生産緑地法の改正から 30 年が経過する 2022 年（令和 4）を迎える前に「都市農業振興基本法」の施行に大きく関わり、地域生産者の事業支援のほか、自らも様々な事業を展開している。

ソーシャルキャピタル向上機能を活かして

　2014年（平成26）、国は「まち・ひと・しごと創生法」を制定。少子高齢化や人口減少、東京圏への人口の一極集中などの課題解決に対する施策をまとめた「総合戦略」を策定し、地方創生を推進してきた。各自治体においては地方版総合戦略をまとめるべく産業界・自治体・大学・金融機関・労働団体・言論界・士業という多様な機関や人材を集めての会議を実施し取組みを進めてきた。多摩地域においては30自治体のうち25自治体が信金を、2自治体は農協を地方創生の連携機関、すなわち地域課題解決のパートナーとして指名している。これまで指定金融機関としての役割を果たしてきた都銀と、信金や農協などが役割分担をしながら地域金融を賄っているのが、多摩地域の現在の姿である。

　また、ITの進展が地域金融機関のあり方にも影響を与えている。ITは金融機関の業務効率化に寄与し、近年ではネット銀行のような新たな業態が参入し始め、既存の金融機関は自身の役割の見直しを迫られてきている。八千代銀行は東京都民銀行及び新銀行東京と経営統合後、東京都拠点の唯一の地銀きらぼし銀行となり、2021年（令和3）にネット銀行のUI銀行を設立している。2021年（令和3）の銀行法の改正により、これまで以上に非金融分野への参入が容易になり、多くの金融機関が人材紹介業務やビジネスマッチング、M&Aなどを手がけている。地域金融機関も新たな事業拡大の時期に入った。ただし、銀行にとっての新規参入分野は、市場全体から見れば既存の事業である。これまでのビジネスモデルを早く再構築し、金融機関ならではのソーシャルキャピタル機能を発揮していくことが期待されている。

　今回は地域金融機関史というかなりマニアックな軸で探究してきたが、インターゼミの中でさらに多様な軸での多摩地域の探究が進むことを期待している。

多摩学班の第1期生、子ども食堂の女将として活躍中

川野 (鮎川) 礼さん

川野礼さん。足立区で運営している子ども食堂で

意思の強さを感じさせる大きな目と思いを伝えてよく動く手。インターゼミ多摩学班の第1期生は、いま「あだち子ども食堂たべるば」の女将さんとして走り回っている。月1回40人の子供や母親が交流する食堂を開き、それとは別に毎週1回7人に食事の場を提供してきた。

　まずは立ち上がったばかりのインターゼミに加わったいきさつから。

　2009年（平成21）の当時は単位にもならないので参加する学生は数えるほど。SGS（グローバルスタディーズ学部）からは5人だけだった。

　「先生から直接声を掛けてもらったので、うれしかったこともあり、やってみることにしました」。交通費が出るわけでもないし、アルバイトや買い物に使える土曜の午後という貴重な時間を潰さないとならない。それでもわざわざ九段下のサテライト教室まで通い続けた。

　示された研究テーマは「多摩ニュータウンの再生」のほかに「ディズニーの研究」「アジアとの交流プログラム」「東鳴子温泉活性化」「グリーン・ニューディール」とあったが、迷うことなく多摩学班を選んだ。多摩市出身で東愛宕中から狛江高校に。当時は地元に愛着などなく早く多摩を出たかったというが、身近な多摩ニュータウンへの関心は大きかった。

　寺島学長の指導のもとで活動は始まった。何をすればいいのか。そもそも論文なんて書けるのか。まさに混沌のスタートだったものの、好奇心やチャレンジ精神の塊である当人には水が合っていた。「何ができるか分からないまま、面白いが勝った」そうである。ちなみにSGSにおいても2007年（平成19）入学の第1期生である。

　インターゼミでは、一対一で教えてもらえる環境が気に入った。大勢の中の一人よりも学びが深いかなと思う。多摩学班は先生や院生という大人3人に囲まれて、ニュータウンの歴史を学び、課題や改善点を考えるとともに、180人の学生を対象にした意識調査を実施した。その分析方法は社会人の院生からじっくりと教えてもらった。学生や住民を対象としたアンケートは、その後の多摩学班の研究活動では定番となったが、その先陣を切ったことになる。地域で地道な活動をするNPOについて

も、多摩ニュータウンの活性化への取り組みでカギを握ると見て調べた。

　クリスマスなのに締め切りに追われていたのが懐かしいが、これは後輩たちにも共通する思い出だろう。やり切ったし、自分でも論文が書けたことは大きな自信になった。そこでは「日本のNPOにおける弱点は『理論能力の欠如』『計画能力の欠如』『情報能力の欠如』『提案能力の欠如』と指摘されており、情熱に基づきNPOを立ち上げるものの、運営費用確保のファンドレイジングを行ううちに、自らを失ってしまうNPOが多く見受けられる」という厳しい指摘が盛り込まれている。

　その時には考えもしなかったが、子ども食堂を切り盛りする今につながる研究成果であった。論文のはるか先に学生の自分が指摘した限界を打ち破るために奔走している今がある。

　100頁の大作となった論文を成果として残して卒業。国際物流の会社の総合職で採用を担当したが、女子は制服でお茶くみ仕事という古い体質にはなじめず退職。その後は契約社員で人材会社に。

　最初の職場でもそうだったが、学生に会いまくった。そのなかでコミュニケーションが下手な子供が一定数いることを知った。多くの若者は周囲とのやりとりのなかで、年長者との交わり方を体得していくものだが、こうした子の多くは身近にそうした大人がいなかった。学童クラブの先生や児童館職員の仕事を考えるようになり、15年に教育系NPO団体の職員になった。10代の居場所と出番をつくることを目指した活動を続けて来た団体だ。1年半がんばったら夏の間だけだが児童館勤務が認められ、足立区で貧困向けの事業にも関わった。中高生のボランティア志望者と面談して受け入れ先を見つける地域コーディネーターの仕事をした。一日が何時間あっても足りなかった。

　NPOでは食事回りも担当した。地域でボランティアをさがして食材を調達し、食事を提供する。おなかがいっぱいになると落ち着いて勉強に向かえる子もいる。そこに可能性を見出し、2018年（平成30）に自分で始めたのが「たべるば」だ。公的な施設は休館日があり、年末年始も

閉まる。その間も対応しないといけないと考えて月に2回だけでスタートしたが、それでは足りない。今は毎週月曜日に開いている。

　仲間とともに組織を回し、学生などのボランティアも計20人ほどになった。時には学生サークルの駄菓子屋が店開きすることもある。今となっては多摩大を選んだのは良かったと自信をもって言える。困った時に相談でき、心配してくれる学生仲間や先生方とつながりは続き、貴重な助言や支援の手を差し伸べてくれる。

　足立区内で営業マンの夫、4歳の娘と暮らしているが、当人にとっての子供たちは数えきれない。

（聞き手：荻野博司）

おわりに

　本書の全体を俯瞰してわかること。それは、多摩学が、多摩地域を通じて時代認識を得る試みであると同時に、学生・教員、多くの学外の人々との関係を通して、時代に応じた問題認識・解決への想像力を養う場だったということである。

　多摩は問題最先端地。このように言われることがよくある。確かに高齢化は早いし、市民によるコミュニティ形成力も期待したほどには高まらない。むしろ、危機感をもつ地方や社会的弱者の人々の方が、相互扶助の力は高いくらいだ。

　だが、この言葉の幻想に惑わされてはならない。なぜなら、東京特別区に人や職や資金、情報、技術が集まる集積のメリットは本当に強い。いくらネットの力が喧伝されようと、いや、ネットで情報取得コストが下がったからこそ、「意味のある交流」を求めて地方だけではなく、中心地に集まってくる。

　それだけに、外部からの力により東京中心部の問題が解決されてしまうことも、実際には多い。2023 年時点でまだ続いている都市再開発は、その一例であろう。東京の中心部は回復力（レジリエンス）が高いのだ。そして、多摩地域の東側や立川のようなスポットはその恩恵を受けている。

　しかし、格差問題など、中心部から放置された解決できない問題が残る。こうした「残された問題」を「受け止めた地域」が周縁地であるとも言える。多摩地域に向き合うと、「残された問題」に向き合うこととなり、いやがおうにも日本や世界の問題を視野に入れなければならなくなる。

　西多摩などは、そうした残された問題を、豊かな自然資源と、相互扶助がはたらくコミュニティ規模で幸福度を高めることで、逆手に取って

いるケースと言えるのかもしれない。中心から離れることで、イノベーションチャンスが生まれる期待がもてるという点では、「多摩は問題最先端地」というより、「問題を課題解決のチャンスととれる最先端地」かもしれない。

　多摩学班の第1期生で、足立区の子供食堂の女将として登場した川野（鮎川）礼さんは、そうした視点を身につけ、課題解決に取り組んでいる多摩学出身者だ。本人が在学中からインターゼミの精神を意識していたかどうかは、ここでは問題ではない。

　子ども食堂の発祥は、2012年（平成24）に始まった「気まぐれ八百屋だんだん子ども食堂」が最初である。元々大田区の八百屋の店主が、家庭の様々な事情で、家で食事をとれない子どもがいることを知り、温かいご飯と具だくさんの味噌汁をみんなで食べられる場所をつくろうと思い始めた。

　つまり、川野（鮎川）さんが卒業した後の話である。

　子ども食堂の動きは急速に全国に広がったが、川野（鮎川）礼さんについての文章を読むと、インターゼミでのNPOについての時代認識を学び、その後は、社会課題に対応して自らの活動を組み立てて現在に至った印象を受ける。

　これが、多摩学から巣立った学生の一つのスタイルと、私には思える。インターゼミでの時代認識のトレーニングを経て、課題解決の実践へと自らの道を拓いていった。多摩学は教育でもあるから、学んでいる当時は、そのような狙いがあることを学生の多くは意識しないだろう。だが、後に経験を積んだ時に、「あの時のゼミは、そのような意味だったのか」と気がつくこともあるに違いない。このような種火を、多摩学班は少しずつでも広げることができたのではないだろうか。

　私は多摩学班の後に、地域班に移り、全国の地域振興の現場を学生と取材に訪れた。東日本大震災の被災地や衰退待ったなしの地方では、危機意識が高いためか、すぐに地元の若い人々が集まり、「とにかく何か

やってみよう」と試行錯誤を始める。新しい動きに蓋をしようとする既得権益者が居続けられるほど甘くない地方では、逆にイノベーティブな動きが生まれ、それに共鳴するよそ者が集まり、結果として試行錯誤の上、新たなビジネスモデルが生まれていく。こんな地方を、数多く見て、聞いて、歩いてきた。

そして、その動きを、常に多摩地域と対比してきたのだが、多摩地域の場合、このような危機感はまだ見られないように思える。病院が無くなり、路線バスが廃止され、スーパーやコンビニがどんどん閉店し、相互扶助組織無しでは生きていけない、といった状態は、2023年時点では目に見える程には生まれていないからだ。

特に、多摩地域の東部は、前述の通り、東京一極集中の恩恵を受けていると言ってもよい。

徳富蘇峰が「天保の老人」と揶揄した後の、新日本の青年は、人口減少局面に会ったことがない。今より前の人口減少期は、江戸時代後期の天明期から天保期だったので、頼るべき前例がないのだ。八王子千人同心が家督を継げない者を蝦夷地に引き連れて行った後、八王子に戻り地誌を描いた時期である。おかげで、自分たちの若い頃、あるいは両親、祖父母世代がつくった社会人口増大期の多摩地域がいまも残り続け、既存秩序は維持される。

若い人々が将来に期待を抱ける社会をつくるには、時代認識を変え、新たなシナリオを想像して実行するしかない。その種は、歴史の中にある。

多摩大の多摩学—時代認識としての多摩学は、これからもバトンは受け継がれるだろうし、われわれには方法としての多摩学をつくり続ける後の世代への責任がある。

最後に、本書を上梓するにあたり、多くの方に御礼を申しあげねばならない。学長の下、多摩大学インターゼミを支えてきた教職員と活動を担ってきた歴代の学生、さらには、それを支援いただいた多摩大学全体

の教職員、そして、毎年のように出かける外部調査に温かく応じていただいた皆様には、感謝を申しあげたい。

　そして、この多摩大学多摩学の試みは、江戸後期以降、多摩に関わられてきた多くの人々の活動、いわば巨人の肩の上に乗って始めて可能になっている。幸い、多摩の歴史的資産を掘り起こす環境は整備されている。本書をまとめるにあたり、八王子郷土資料館、町田市立自由民権資料館、たましん地域文化財団の方々・資料には大いに助けられた。

　こうした文化の資産に、多摩大学多摩学は今後も価値を加えるべく、活動を続ていくことだろう。

著者を代表して　中庭光彦

プロフィール

寺島 実郎（てらしま じつろう）

多摩大学学長

早稲田大学大学院政治学研究科修士課程修了後、三井物産入社。米国三井物産ワシントン事務所長、三井物産戦略研究所所長、三井物産常務執行役員、早稲田大学大学院アジア太平洋研究科教授等を歴任。文部科学省、経済産業省、国土交通省等、国の審議会委員も多数歴任。現在（一財）日本総合研究所会長を務める。1994年石橋湛山賞受賞。2010年4月早稲田大学名誉博士学位。近著に『ダビデの星をみつめて　体験的ユダヤ・ネットワーク論』（NHK出版）、『人間と宗教　あるいは日本人の心の基軸』（岩波書店）、他著書多数。

中庭 光彦（なかにわ みつひこ）

多摩大学経営情報学部教授

1962年東京生まれ。中央大学大学院総合政策研究科博士課程中退。専門は地域政策、公共政策、水文化論。地域計画研究所取締役、ミツカン水の文化センター主任研究員等を経て、2011年より現職。ポスト人口減少社会の都市・地域を見据え、多摩地域や地方都市のコミュニティ・ガバナンスとその政策デザイン、開発政策や水文化研究を行っている。主な著書に『オーラル・ヒストリー　多摩ニュータウン』（共編著、中央大学出版部、2010）、『コミュニティ3.0』（水曜社、2017）、『東京　都市化と水制度の解釈学』（多摩大学出版会、2021）、他多数。

松本 祐一（まつもと ゆういち）

多摩大学経営情報学部教授

1972年生まれ。慶應義塾大学大学院政策・メディア研究科修士課程修了。専門はソーシャルマーケティング。学生時代にNPO立ち上げを経験後、市場調査会社で商品開発に携わり2005年から多摩大学総合研究所勤務。2019年4月より現職。多摩地域を中心に企業、行政、NPOの事業開発支援に従事し、セクターを超えた「協創」をコーディネートしている。多摩大学総合研究所所長、特定非営利活動法人NPOサポートセンター代表理事、著書に『入門ソーシャルセクター』（共著、ミネルヴァ書房、2020年）などがある。

荻野 博司 (おぎの ひろし)

多摩大学経営情報学部客員教授
1952年東京生まれ。一橋大学法学部卒業。朝日新聞社に入り、経済部員、ニューヨーク特派員などを経て、論説委員 (民間経済担当)、論説副主幹。2013年より現職。ほかに日本経営倫理学会理事、日本コーポレート・ガバナンス・ネットワーク顧問など。専門は企業統治論、国際経済論、ジャーナリズム。稲城市出身のため、多摩学研究にも早くから参画。主な著書に『日米摩擦最前線』(朝日新聞社、1990)『問われる経営者』(中央経済社、1995)、『渋沢栄一に学ぶ「論語と算盤」の経営』(共著、同友館、2016)、他多数。

久恒 啓一 (ひさつね けいいち)

多摩大学名誉教授
大分県中津市生まれ。九州大学卒業後、(株) 日本航空入社。知的生産の技術研究会に所属し著作活動展開。97年宮城大学教授。2002年「図で考える人は仕事ができる」出版、ベストセラー、図解ブームを巻き起こす。2008年多摩大学教授、学部長、副学長歴任。

長島　剛 (ながしま つよし)

多摩大学経営情報学部教授
法政大学大学院社会学研究科修士課程修了。多摩信用金庫入庫。価値創造事業部部長、地域連携支援部長等歴任。2019年より現職 (多摩信用金庫から出向)。現在も信金時代同様、地域連携のつなぎ役として学生とともに実践活動中。

川野 (鮎川) 礼 (かわの (あゆかわ) あや)

あだち子ども食堂たべるば代表
2011年多摩大学卒業後、国際物流企業・教育系NPOでの勤務を経て2018年足立区にて「たべるば」を設立。自宅に居場所の無い子どもや被虐待児らに温かい食事と居場所を提供している。今、一番頭を悩ませているのは「たべるばの子どもたちの自立」について。

多摩学への試み
多摩地域研究

発行日： 2024年3月30日　初版第1刷

総監修：寺島 実郎
共編著：中庭 光彦
著　者：中庭 光彦　松本 祐一　荻野 博司

発　行： 多摩大学出版会
　　　　代表者　寺島実郎

　　　　〒206-0022
　　　　東京都多摩市聖ヶ丘4-1-1　多摩大学
　　　　Tel 042-337-1111（大学代表）
　　　　Fax 042-337-7100

発　売： ぶんしん出版
　　　　東京都三鷹市上連雀1-12-17
　　　　Tel 0422-60-2211　Fax 0422-60-2200

印刷・製本：株式会社 文伸

ISBN 978-4-89390-210-8